Carnes e Churrasco

por **MARCOS BASSI**

Dados Internacionais de Catalogação na Publicação (CIP)
(Jeane Passos de Souza – CRB 8ª/6189)

Bassi, Marcos
    Carnes e churrasco : entrevista a Chico Barbosa / Marcos
Bassi; [prefácio J. B. de Oliveira Sobrinho (Boni)]; [apresenta-
ção Alex Atala]. – São Paulo: Editora Senac São Paulo, 2012.

    ISBN 978-85-396-0279-7

    1. Carnes – Receitas 2. Churrasco (Culinária) 3. Casa de
Carnes Bassi – História I. Barbosa, Chico II. Sobrinho, J. B.
de Oliveira III. Atala, Alex IV. Título.

12-056s   CDD-641.6565

Índice para catálogo sistemático:
1. Gastronomia : Culinária : Carnes   641.6565
2. Churrasco : Carnes : Preparo de alimentos   641.6565
3. Casa de Carnes Bassi : História   926.416

Carnes e Churrasco

por MARCOS BASSI

ENTREVISTA A CHICO BARBOSA

Editora Senac São Paulo – São Paulo – 2012

ADMINISTRAÇÃO REGIONAL DO SENAC NO ESTADO DE SÃO PAULO
Presidente do Conselho Regional: Abram Szajman
Diretor do Departamento Regional: Luiz Francisco de A. Salgado
Superintendente Universitário e de Desenvolvimento: Luiz Carlos Dourado

EDITORA SENAC SÃO PAULO
Conselho Editorial: Luiz Francisco de A. Salgado
Luiz Carlos Dourado
Darcio Sayad Maia
Lucila Mara Sbrana Sciotti
Jeane Passos de Souza

Gerente/Publisher: Jeane Passos de Souza (jpassos@sp.senac.br)
Coordenação Editorial/Prospecção: Luís Américo Tousi Botelho (luis.tbotelho@sp.senac.br)
Dolores Crisci Manzano (dolores.cmanzano@sp.senac.br)
Administrativo: grupoedsadministrativo@sp.senac.br
Comercial: comercial@editorasenacsp.com.br

Edição de Texto: Amanda Lenharo di Santis
Preparação de Texto: Leticia Castello Branco
Revisão de Texto: Luciana Lima (coord.), Globaltec Editora Ltda.
Projeto Gráfico, Capa e Editoração Eletrônica: Lavínia Carvalho
Fotografias: Cláudio Wakahara
Impressão e Acabamento: Coan Indústria Gráfica

Pesquisa, Entrevista e Edição de Texto: Chico Barbosa | CB News

Todos os esforços foram feitos para reconhecer os direitos morais, autorais e de imagem neste livro. O Senac São Paulo agradece qualquer informação relativa a autoria e/ou outros dados que estejam incompletos nesta edição e se compromete a fazer a eventual retificação nas reimpressões e reedições seguintes.

SUMÁRIO
Carnes e Churrasco

Nota do editor

Com uma linguagem acessível, leve e dinâmica, esta obra fornece a base para a compreensão da arte do churrasco. Marcos Bassi deixa transparecer nesta publicação, de fins didáticos, seu carisma e sua grande habilidade como artesão da carne, por meio de uma detalhada entrevista concedida ao escritor e jornalista Chico Barbosa.

Marcos Bassi trata aqui dos principais cortes elaborados há muito tempo em seu renomado restaurante e transmite aos leitores – sejam eles leigos, açougueiros, donos de casa ou churrasqueiros de fim de semana – o conhecimento adquirido em décadas de prática no trato com a carne.

Inicialmente, o leitor encontra uma retrospectiva do caminho profissional percorrido por Bassi e, em seguida, adentra o mundo técnico, dos instrumentos ao preparo propriamente dito das entradas e do churrasco.

Com um projeto gráfico que facilita a visualização imediata do assunto desejado pelo leitor (manipulação das peças brutas, manipulação das ferramentas, formas de temperar, formas de assar a carne, etc.), este livro é um guia atraente e prático.

O Senac São Paulo reafirma, assim, seu compromisso em disseminar os conhecimentos sobre a cultura gastronômica brasileira.

PREFÁCIO

Marcos Bassi - uma referência gastronômica

O churrasco sempre foi uma paixão em minha vida. Recém-nascido, ainda no colo de minha mãe, dona Kina, eu acompanhava, nos fins de semana, o trabalho de churrasquear do meu pai, o paulista Orlando de Oliveira, e do meu tio, o gaúcho Kasper. Assim que comecei a andar já fui convocado para ajudar. Fiz do churrasco uma tradição entre os amigos e a família, e fui sofisticando aos poucos o que eu havia aprendido quando criança.

Por volta dos anos 1960, havia certa dificuldade para se encontrar uma boa carne, macia e saborosa. Um amigo em São Paulo indicou a Casa de Carnes Bassi, na rua Humaitá, na Bela Vista. Lá eu conheci o Marcos Guardabassi, falante, sonhador, conhecedor profundo de cortes de carne de todo o mundo e um exímio manipulador e criador de cortes tipicamente nacionais, como a fraldinha. Como a variedade que o Marcos oferecia era grande, escolhi algumas carnes tradicionais para testar. O Marcos anotou o pedido e o endereço e disse para que eu não me preocupasse, que ele mandaria entregar em minha casa, no Joá, Rio de Janeiro. Como as carnes não chegavam em minha casa, fiquei preocupado. Já estava comprando alguma coisa para substituí-las quando me avisaram que um senhor havia chegado trazendo uma encomenda para mim. Era o Marcos em pessoa. Em diversas caixas de isopor, ele trouxe uma variedade de carnes muito maior do que a minha encomenda. Todas fresquinhas e lindas, perfeitamente arrumadas, como se fossem joias. E eram. Além da variedade, a quantidade dava para um batalhão. Eu não tinha nenhuma intimidade com o Marcos, mas ele, com o seu jeitão descontraído, foi entrando e tomando conta da casa, conquistando os empregados e agindo como se fôssemos amigos de infância. Fomos para a churrasqueira, e o Marcos assumiu o comando. Acendeu o fogo e abriu uma mala com todos os apetrechos necessários para um bom churrasco, desprezando os meus utensílios. Os convidados foram chegando e, em minutos, tornaram-se íntimos do Marcos, que exibia suas carnes, suas habilidades e sua simpatia. O churrasco foi um sucesso, é óbvio. Eu e o Marcos nos tornamos amigos, e ele se tornou amigo também de todo o grupo.

O grandalhão Marcos Guardabassi é uma delicadeza no trato com todos, conhecidos ou não. Exagerado e generoso, ele distribui afeto a todos com a mesma fartura que ele serve à mesa. Certamente esse amor que o Marcos tem pelas pessoas foi transferido para as carnes, que ele trata com um misto de respeito, carinho e entusiasmo. Essas características fizeram dele o maior expert do gênero no país, fazendo-o merecedor inconteste do título "o artesão da carne".

Neste livro, o leitor vai encontrar um pouco da fascinante história do Marcos Guardabassi, uma descrição detalhada dos melhores cortes de carne e instruções simples e claras para se fazer um bom churrasco – a aula mais perfeita sobre o assunto: o estilo Bassi de preparar e servir. Marcos, com o seu Templo da Carne, sua personalidade e sua competência, foi o responsável pela mudança em nossa cultura do ato de comer carne, tornando--se uma referência gastronômica no Brasil.

J. B. de Oliveira Sobrinho (Boni)

APRESENTAÇÃO
Uma aula sobre carnes e churrasco

A intimidade com o ingrediente na minha vida vem muito antes do ofício de cozinhar. Sou filho e neto de pescadores e caçadores. É curioso pensar como esses modelos de homens, talvez brutos e selvagens, fizeram parte do alicerce do meu caráter e, por extensão, dos fundamentos da minha profissão. Uma pessoa de incontestável importância na minha formação como indivíduo, que muitas vezes citei e faço questão de reafirmar, foi o Cláudio Guardabassi, o Claudião, com quem trabalhei, não em uma cozinha, como se poderia supor, mas em uma escola de mergulho.

Os anos se passaram e vim conhecer seu irmão, ninguém menos do que o Marcos Guardabassi, ou apenas Bassi – para mim, Marcão. Com este, sim, divido um interesse comum, a comida, embora ele me remeta àquele mesmo perfil rústico de pessoa que moldou minha forma de ser. Marcão, a exemplo do irmão, mostrou-se uma revelação na minha vida, agora profissional. Não estou falando do churrasqueiro. Estou falando do açougueiro.

Estou falando do homem que, antes de saber cozinhar, detém a propriedade e o polimento que só o ofício lhe traz. Marcão é um cara que conhece profundamente uma raça, uma carcaça e cada pedaço dela – uma sabedoria que veio do empirismo, da lida com a carne, com a faca, com o boi em pé. Detentor de uma oratória fora do comum, sabe traduzir para o público de diferentes formações todo esse *savoir faire*, esse saber não só prático, mas instintivo.

Ainda debutando na profissão, tive a sorte de vê-lo pisar em um palco com uma carcaça bovina inteira e explicar desde a diferença entre as raças e a seleção das peças dentro da indústria frigorífica até os cortes e seu uso na churrasqueira ou no fogão. Ao mesmo tempo em que nos apresentava "achados", como o steak do açougueiro e o bombom de alcatra, derrubava por terra mitos, como o de que existe "carne de segunda"; a qualidade depende também do emprego correto que se faz da peça. Talvez esse tenha sido um dos momentos mais elucidativos da minha vida profissional e, principalmente, do contato com a carne bovina.

Os anos se passaram e eu tive uma segunda alegria: levar uma turma de chefs para assistir a uma palestra do Marcão, incluindo, desta vez, degustação. Ou seja, ele não desmontou uma carcaça, mas sim a cabeça de cozinheiros, profissionais de grande calibre. Fez cada um de nós entender com mais profundidade uma mensagem que ele já havia deixado anos antes: a gastronomia não é fazer o que ninguém fez; é fazer o que todo mundo faz de uma forma melhor.

Marcos Bassi, um profissional decisivo na história da carne gourmet no Brasil, ainda me ensina. E tenho certeza de que este livro carrega uma aula sobre carnes e churrasco que uma pessoa "normal", não necessariamente um profissional, pode acompanhar. Um bom ingrediente dirigido por um bom mestre é tudo o que a cozinha precisa. Isso não é banal, isso é basal!

Alex Atala

Excelência em carnes

Introdução

SATISFAÇÃO GARANTIDA

100%

DO MERCADÃO
Para o Mundo

Marcos Bassi é sinônimo de carnes nobres no Brasil de ponta a ponta e, a julgar pelos milhões de buscas e acessos de seus vídeos no YouTube, também nos quatro cantos do planeta. Dono de uma trajetória ímpar quando o assunto é empreendedorismo, ele é exemplo raro, senão único, no seu segmento de trabalho em razão da habilidade e da competência em transformar um ofício descreditado e sem *glamour* em atividade reconhecida e de prestígio, e, a partir daí, em uma referência no setor alimentício, com ramificações que envolvem produção e consumo de carne.

De aprendiz de açougueiro nos primórdios da adolescência, quando iniciou sua carreira no Mercado Municipal de São Paulo (o chamado Mercadão), passou a ser reconhecido, ainda jovem, como hábil produtor, processador e distribuidor, até se tornar a personalidade didática e midiática que é hoje, dado às palestras e aos programas de rádio e TV, dos quais há décadas participa, tirando dúvidas dos espectadores.

Intuitivo e com capacidade inata para aprender e se comunicar, Bassi conta com mais de 50 anos de atividades ininterruptas e continua pesquisando, buscando a inovação e trabalhando da mesma forma obsessiva e detalhista que o projetou e o consagrou. Permanece atento às necessidades de um mercado que, há anos, o reconhece como uma autoridade no assunto e que quer ouvir suas opiniões.

O centro dos negócios de Bassi há algum tempo tem sido o Templo da Carne, local onde comparece praticamente todos os dias e controla as iniciativas que levam o seu nome. O Templo da Carne foi projetado para ser mais do que um restaurante especializado ou uma extensão do que Bassi já vinha fazendo. Ele criou um conceito para que os frequentadores tivessem a experiência de estar em um ambiente que, além de gastronômico, fosse um reduto de disseminação da cultura da carne, num "país com condições de produzir o melhor boi do mundo, dadas as suas características de terreno, de clima e de mão de obra com potencial para ser cada vez mais

Saiba Mais
SOBRE O ASSUNTO

Para saber um pouco mais sobre o assunto e entender como e por que Bassi adquiriu o status de "Artesão da Carne", consulte as próximas páginas, nas quais ele nos guia pelos labirintos do assunto, como um açougueiro (o que faz questão de nunca deixar de ser) adentrando em seu hábitat.

qualificada", nas suas próprias palavras. Ali, consumo e conhecimento se fundem, o que pode ser notado tanto na arquitetura, que privilegia a transparência e possibilita uma integração de todos os ambientes, como em detalhes de ambiência planejada. É ver (e comer) para crer! Quem quiser comprar suas carnes tem acesso a um balcão frigorífico, para escolher entre as dezenas de opções, sob a consultoria dele próprio – iniciativa então inédita em casas similares. Marcos Bassi também promove encontros, na sala Vip, para discutir sua visão sobre o universo das carnes, a criação do boi, o abate, a identificação dos cortes, a manipulação e, como ninguém é de ferro, para confraternizar em torno do que ele chama de "a arte de fazer churrasco". Quem não estiver por ali tem a opção de adquirir o DVD "A magia do churrasco", no qual Bassi traz dicas de seu ofício.

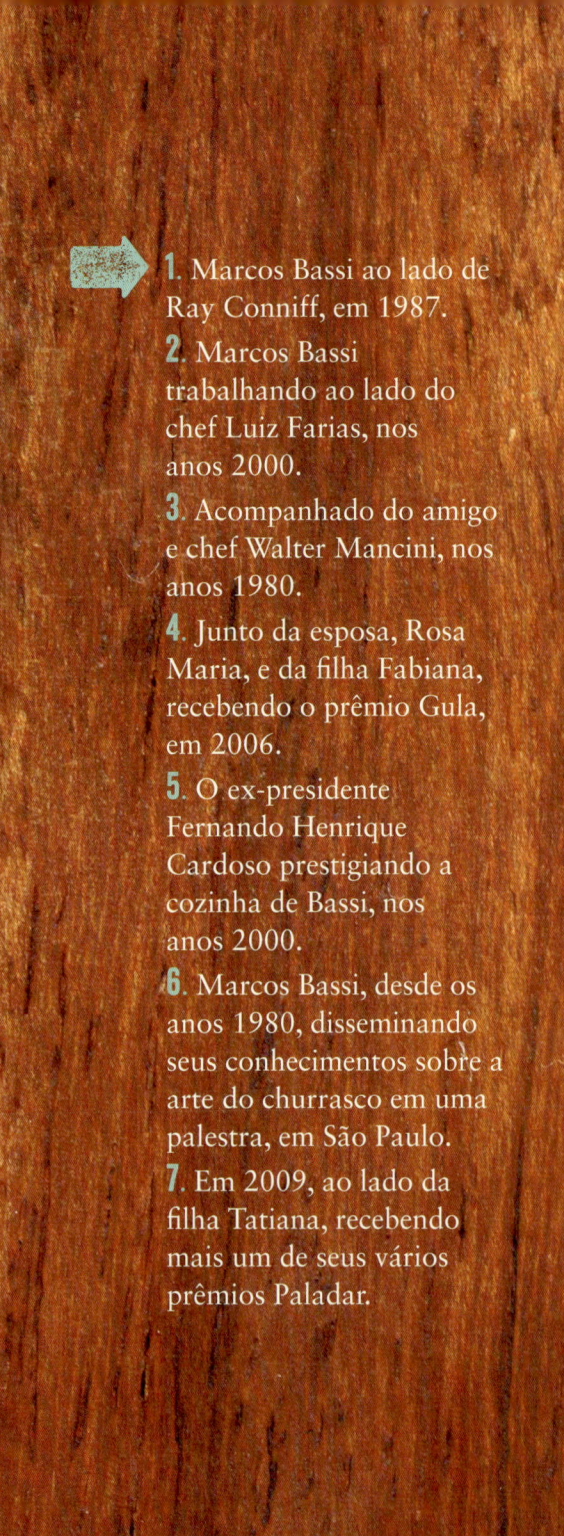

1. Marcos Bassi ao lado de Ray Conniff, em 1987.

2. Marcos Bassi trabalhando ao lado do chef Luiz Farias, nos anos 2000.

3. Acompanhado do amigo e chef Walter Mancini, nos anos 1980.

4. Junto da esposa, Rosa Maria, e da filha Fabiana, recebendo o prêmio Gula, em 2006.

5. O ex-presidente Fernando Henrique Cardoso prestigiando a cozinha de Bassi, nos anos 2000.

6. Marcos Bassi, desde os anos 1980, disseminando seus conhecimentos sobre a arte do churrasco em uma palestra, em São Paulo.

7. Em 2009, ao lado da filha Tatiana, recebendo mais um de seus vários prêmios Paladar.

O Profissional

OBSESSÃO POR ATENDER BEM

PERFIL
Midas dos Cortes

Manhã de uma terça-feira. O relógio está prestes a marcar 9 horas quando a silhueta de Marcos Guardabassi se impõe na porta que dá acesso ao Templo da Carne, restaurante encravado na Bela Vista, tradicional bairro de colonização italiana na região central de São Paulo, precisamente no coração da rua 13 de Maio. A aparência e o bom humor são de quem dormiu bem, embora não signifique que tenha sido por muito tempo. Levantou às 5 horas da manhã, como faz todos os dias, costume dos tempos em que trabalhava em uma banca de miúdos no Mercado Municipal de São Paulo, o chamado Mercadão. Chega e começa o ritual de cumprimentar os funcionários que já circulam pela cozinha, bar, recepção, mesa e adega, atarefados em dar os retoques finais na casa que abrirá para o almoço minutos antes do meio-dia. As perguntas protocolares "como vai?" e "a família está bem?" o fazem ater-se por mais tempo aos que se dispõem a relatar um episódio que consideram inusitado, envolvendo filhos ou esposa. Ato contínuo, quer saber como foi o movimento na noite anterior, qual a peça de carne mais pedida,

se algum fato mereceu destaque. Todos têm necessidade de falar, talvez mais para mostrar atenção ao trabalho do que por ter presenciado algo digno de nota. Nada do que relatam altera seu semblante. Marcos, senhor Marcos, Bassi ou apenas Marcão, como é abordado, dependendo do interlocutor e, claro, da proximidade ou da intimidade, já ficou sabendo de quase tudo o que se passou por ali. Todos os dias, tão logo o expediente é encerrado, quase nunca antes da 1 da manhã, Joel, gerente do restaurante, liga para sua casa ou para o seu celular e conta como foi o atendimento na noite que acabara de se encerrar, se algum acontecimento merece scr lcmbrado.

Marcos não se dá por satisfeito. Algumas horas depois, assim que chega ao restaurante, faz questão de conferir a caixa de sugestões e críticas de clientes – ao conteúdo ninguém tem e nunca teve acesso: só ele dispõe da chave. É para esse receptáculo de madeira e vidro colocado à vista no hall de entrada e saída do salão principal que ele se dirige, seguido pelos

funcionários que ainda não concluíram seus relatos. Desde que foi instalado, o recipiente não ficou vazio, e isso é um bom sinal, na interpretação de Bassi. Espera-se que o atendimento, o serviço, a comida e o ambiente sejam tão bons que inspirem os frequentadores a deixar um recado animador. E, na hipótese de algo não ter dado certo, é melhor saber o quanto antes e corrigir para que, quando o cliente retornar numa eventual próxima vez, a crítica se transforme em mais um elogio.

De posse do amontoado de papéis, Bassi sobe até o escritório, no andar superior, senta na cadeira e começa a analisar um a um. Mais do que ler, ele tenta interpretar o que o cliente quis dizer. O que está correto, claro, não tem por que mexer; mesmo assim, acredita, é preciso ir a fundo, entender melhor. Ele tenta processar as informações: se a pessoa gostou, por que indicou "bom", em vez de "ótimo"? Não deixa de ser estranho... Qual seria a lógica? "Regular" e "ruim" são avaliações raras e falam por si, ou seja, precisa-se mudar ou consertar o motivo da insatisfação, mas

tem de se esmiuçar o que levou a pessoa a ser tão severa na avaliação. Para alívio de Bassi, depois de averiguados os resultados, descobre-se que na maioria das vezes não havia nenhum problema com a comida, com o ambiente, com o atendimento ou com o preço. Pode-se concluir que era o frequentador que não estava num bom dia. Enquanto isso não acontecer, porém, é preciso certificar-se, fazer que o próprio cliente, antes de todos, chegue a essa conclusão. Ou ao menos dê pistas de que o problema, na verdade, não era com a casa. Os anos ensinaram Bassi a ter sensibilidade para compreender o público, uma operação que hoje ele considera simples. Quando a reclamação procede, tão logo se aborda o assunto, o cliente argumenta seu ponto de vista. Se ele não se lembrar do fato, se precisar ser rememorado, é quase certo de que a observação negativa não era pertinente. Seja o que for, não importa. Todos esses clientes são convidados a retornar à casa e serão recebidos pelo próprio Bassi. Não raro, só quem estava seguro da sua insatisfação aceita o convite.

Bassi tem verdadeira obsessão por atender bem. Faz questão de ser receptivo e caloroso com quem chega ao restaurante, uma relação que muitas vezes desemboca em amizade. De imediato, trata todos como velhos amigos, como se estivesse abrindo a porta de sua própria residência para recebê-los. Não parece fazer esforço para ser simpático, solícito e demonstrar interesse pelo mundo do outro. Age naturalmente e, talvez, ao lado da qualidade dos seus produtos e serviços, esse seja o segredo para aglutinar pessoas à sua volta. De todo modo, não fosse uma habilidade inata, não faltariam "professores" para lhe orientar na condução dos negócios e no atendimento. Os próprios clientes o foram: num primeiro momento os que frequentavam sua casa de carnes e, num segundo, o público ainda mais sofisticado – marca registrada de seu restaurante. Dada a vocação desbravadora dos seus negócios, não faltaram incentivos para descobrir coisas novas, percorrer caminhos inusitados, questionar o que o mais exigente apreciador de carne procurava, criar um padrão de excelência e por isso ser

identificado e reconhecido. Vem de um desses clientes, experiente vendedor de produtos, uma frase que se transformou em mote condutor de seu trabalho: o maior concorrente de um profissional é a falta de informação do consumidor. Bassi ouviu isso quando seu restaurante tinha pouco mais de três meses de existência, nos anos 1970, e estava longe de tornar-se referência em carne. A partir daí, adotou a caixa de sugestões e críticas como principal companheira de trabalho e credita grande parte do seu sucesso a essa capacidade de sintonizar-se com o público.

Bem antes de institucionalizar e formalizar essa preocupação com a satisfação dos clientes por meio da caixa de sugestões, Bassi já estava às voltas com um trabalho que imprimisse diferença no mercado. As recordações, nesse sentido, remontam aos idos da década de 1960, logo que ele assumiu a Casa de Carnes Brasil, embrião do negócio que levaria seu nome – Casa de Carnes Bassi – em 1962, na rua Humaitá, também na Bela Vista.

QUALIDADE GARANTIDA
★ ★ ★
1978

Ciente da necessidade de impressionar uma freguesia exigente, Bassi quis mudar o conceito do que se chamava de açougue. A começar pelo nome. Enquanto todos se referiam a estabelecimentos de carne como "açougue", Bassi deu ao seu o nome de "Casa de Carnes e Culinária". Sua apresentação pessoal era impecável. Fazia questão de trabalhar com avental de linho, sem mancha de sangue, que ele colocava toda vez que a freguesia entrava. Procurava estar arrumado, com cabelo cortado e barba feita. As pessoas eram abordadas por ele com formalidade e tratadas com deferência, lançando mão de expressões cordiais básicas, mas pouco usuais, como um simples "senhor", "senhora", "pois não", "muito obrigado". As instalações, herdadas de quando adquiriu o ponto, também acompanhavam o mesmo nível de apresentação e de limpeza. Balcões em aço inoxidável, azulejos nas paredes, piso lustroso e vasos de plantas pelos cantos. Bassi se lembra de que o próprio cliente, quando entrava no recinto, mudava a postura, sentindo que estava em um lugar especial.

De passatempo a ganha-pão

Hoje, tal descrição pouco surpreende, porque virou padrão nos bons estabelecimentos que vendem carnes e derivados. Mas na época em que esse tipo de comércio não tinha nada de sofisticado, pode-se dizer que foi uma transformação e tanto. Até então, segundo recorda, os açougues não eram lugares inspiradores. Boa parte deles operava com funcionários malpreparados, malvestidos, sem preocupação com o atendimento, em ambientes que nem sempre primavam pelo bom gosto ou pela higiene. Ainda que fosse a visão geral desse tipo de comércio, estava longe de ser a referência de Bassi. No bairro do Brás, onde nasceu e foi criado, um de seus passatempos desde os 7 anos de idade era ver um vizinho açougueiro trabalhar. Seu nome era "seu" Praxedes, que, mesmo sem saber, foi o principal mentor daquele que viria a ser o "Artesão da carne".

Em casa, Marcos Bassi não teve nenhuma influência para interessar-se pelo ofício das carnes. Seu pai, João Guardabassi, era alfaiate, assim como o avô paterno, que, por sua vez, vinha de uma família de estilistas oriundos de Roma. Descendente de italianos de Nápoles e Bari, a mãe, dona Mafalda Caputo Dragoni, que depois acrescentaria Guardabassi ao nome, também pertencia ao universo dos panos – era costureira. Marcos não recebeu os sobrenomes da mãe, Caputo e Dragoni. Ficou apenas com o Guardabassi – a rigor, junção de duas famílias, Guarda e Bassi, que se tornaram uma só em decorrência da unificação italiana, processo político iniciado no século XIX e finalizado apenas em 1929. Mas, no fundo, Marcos sempre se identificou com a denominação Bassi. Tanto que, quando já era profissional da área e resolveu batizar sua primeira casa de carnes (a então Casa de Carnes Brasil), ele promoveu um concurso em uma rádio sugerindo alguns nomes, entre eles Bassi. Para o seu alívio – e o do vencedor, que ganhou um churrasco para cinquenta pessoas –, o nome escolhido pelo público foi Casa de Carnes Bassi. Marcos acredita que a palavra Bassi soa mais natural, ao contrário de Guardabassi, que, pela união dos sobrenomes, provoca ruídos na pronúncia.

Desde cedo, as atividades manuais chamaram a atenção de Marcos Bassi. Poderia ter se embrenhado pelos cortes de tecido, como os parentes paternos, mas eram outros os cortes que faziam brilhar seus olhos. Daí o interesse do menino em ver "seu" Praxedes manipular a carne com desenvoltura. Quando não estava ali observando, enquanto o pai conversava trivialidades com o açougueiro, aproveitava para circular pelas imediações, principalmente pelas barracas do Mercado Municipal, testemunhando a consolidação do polo alimentício que pouco depois abasteceria a cortejada gastronomia paulistana, da qual Bassi viria a ser expoente. Sem se dar conta, começava ali, entre arenques, bacalhaus, caviares e azeites, o interesse pelo universo da comida e dos ingredientes nobres. O dia a dia em um ambiente com o qual se identificava e de que conhecia quase tudo e todos o levou, anos depois, a procurar uma atividade relacionada. Ironia do destino, o produto com que começou a trabalhar não tinha nada de sofisticado: miúdos de animal. A forma de abordar a freguesia também não era

lá muito glamourosa: de sacola na mão, batendo de porta em porta.

As coisas não foram planejadas, mas aconteceram de forma natural. Diante dos problemas de saúde do pai – que viria a falecer quando Bassi tinha 15 anos –, a família teve de arrumar uma forma de gerar mais recursos. João, o irmão mais velho, foi trabalhar com cereais. Cláudio enveredou pela área de mergulho e caça submarina. E Marcos, o caçula, juntou-se à mãe em busca de alternativas de ganho. A solução veio das mãos do próprio "seu" Praxedes, que, para ajudar os dependentes do amigo adoecido, passou a vender mais barato os miúdos das carnes que manipulava, para serem comercializados em outras localidades da cidade. Naquela época, o frigorífico não vendia apenas um traseiro ou dianteiro de boi, mas peças maiores, como um quarto ou até o animal inteiro. Ou seja, vinha uma variedade grande de cortes. Ocorre que, nas imediações do açougue do "seu" Praxedes, no Brás, a freguesia comia carnes tidas como mais nobres. Quem consumia miúdos eram os trabalhadores mais humildes, espalhados por bairros como Jaçanã e Penha – fora da zona de atuação de Praxedes. E era para lá que se dirigia Bassi, escoltando a mãe e oferecendo os produtos. Vender de porta em porta era um ofício corriqueiro naqueles tempos. Só que o transporte era feito por meio de carroças. De sacola não era muito comum, porque exigia força e disposição, que, guardadas as proporções, não faltavam a Bassi. Embora jovem, ele não aparentava a idade que tinha. Herdara da família a compleição física avantajada, e, aos 14 anos, já tinha 85 quilos espalhados pelo corpo com 1,80 metro de altura.

Mas esse esforço não durou muito tempo. Em breve, eles começaram a atender os bares que ofereciam pratos do dia: os pedidos já eram certos, não precisava conquistar novas freguesias. Tinha fígado à moda veneziana nas quintas-feiras, dobradinha nas terças, e assim por diante. E era possível fazer o percurso até de bonde.

MERCADO MUNICIPAL DE SP

A escola do Mercadão

Tendo em vista o trânsito livre pelo Mercado Municipal, não demorou muito para que os Bassi arrendassem uma banca naqueles domínios, uma das menores, especializada em miúdos, como eles queriam – e podiam. Embora atendesse o varejo, o grosso das vendas era de atacado, em especial para os restaurantes então tradicionais da cidade, como O Gato que Ri, Salada Paulista, Cabana, Mil e Sessenta, Cantina da Vila, Gigio, Adega do Brás e Castelões. Também se dirigiam ao Mercadão, em busca de miúdos a preços mais em conta, comerciantes portugueses de bairros mais afastados, como Santana e Pari. Compravam mais dobradinha, fígado e rabada, sempre em grandes quantidades. E, mal haviam começado, a banca dos Bassi já ia adquirindo fama de barateira, sem comprometer a qualidade. Como a estrutura era pequena e trabalhavam apenas ele e a mãe, os custos fixos eram menores. Por outro lado, as despesas em casa não eram altas; com pouco dinheiro e a ajuda dos irmãos, era possível cobrir os gastos domésticos. Pelo que se recorda, era uma época em que as pessoas, mesmo as

mais bem-sucedidas, não tinham o sonho consumista mais comum de hoje. O fato é que, vendendo produtos de boa qualidade e a preço menor, seu ponto começou a se destacar no Mercadão, e as amizades foram se consolidando e se ampliando.

Assíduo frequentador do Mercado Municipal e da banca dos Bassi era Olívio Baldocchi, fabricante de geladeiras e balcões frigoríficos. Sua empresa, a Refrigeração Perdizes, era muito conceituada e atendia principalmente açougues de bairros. Mas ele gostava de circular também por aquele tradicional centro de alimentação, fosse para oferecer produtos e serviços, fosse para um simples bate-papo e para saber das necessidades de potenciais clientes. Numa dessas andanças, Baldocchi, como era chamado, começou a oferecer um açougue que ele havia montado na Bela Vista para dois conhecidos que não pareciam ser do ramo. Um dispunha do capital e o outro lidava com o atacado, mas ninguém entendia do varejo. Resultado: o negócio fora inaugurado havia quase um ano e não ia para frente, e Baldocchi não havia recebido um centavo pelas brilhantes instalações que montara. A pedido dos próprios donos, era preciso arrumar um jeito de repassar a casa para não ficar com aquele prejuízo na mão.

Entre os corredores do Mercadão, Baldocchi conversava com um e com outro, concentrando suas abordagens nos clientes de bancas maiores, que, em tese, teriam interesse e potencial para comprar aquele açougue na rua Humaitá. Não era um estabelecimento qualquer. Impressionava pela imponência. Só o balcão frigorífico media 16 metros de comprimento. A câmara frigorífica, item raro naquela época, tinha capacidade para abrigar cerca de cinquenta bois completos, incluindo traseiro, dianteiro e ponta de agulha. Para encher os balcões de carne era preciso desossar cerca de vinte traseiros, quantidade considerada grande. Comparando-se às instalações dos Bassi no Mercadão, o contraste era ainda mais evidente. Ali, quem dispunha de uma geladeira onde coubessem vinte suínos já estava bem servido. As bancas que não estavam na rua Central mediam, em sua

maioria, 2 metros de frente por no máximo 4 metros de fundo. Não ofereciam nem espaço para trabalhar direito.

Não sendo os Bassi potenciais compradores de um comércio com dimensões e suntuosidade como aquele, foi natural que Baldocchi não os tivesse abordado. Ocorre que, num ambiente que vive da comunicação e em que todos se conhecem, o que se passa num canto – coisas ruins, fofocas, coisas boas, oportunidades – em breve está sendo discutido na outra extremidade. Foi assim que o curioso adolescente, com apenas 15 anos, ficou sabendo desse "achado". Pelo que tinha ouvido falar, o estabelecimento era um espetáculo de apresentação, longe do alcance daqueles profissionais que viviam no Mercadão. A localização, porém, na rua Humaitá, não era de encher os olhos. As melhores regiões para o comércio ficavam no Centro, nas avenidas São João e São Luís, e nos Jardins. Os pontos mais nobres estavam na Vieira de Carvalho, uma das ruas mais sofisticadas da São Paulo de então. Bassi avaliou os prós e os contras e resolveu consultar a mãe para saber se ela estava interessada em fazer uma visita, sem compromisso.

Dona Mafalda não entendeu muito bem aonde o filho queria chegar. Eles não dispunham de poupança nem tinham a perspectiva de ganhar tanto dinheiro a ponto de assumir uma dívida. Lembraram que bem em frente à casa de carnes ficava a Cantina D'Ângelo, cujo dono era freguês da sua banca de miúdos do Mercadão, e essa familiaridade com a região lhes encorajou. Pelo sim, pelo não, pegaram um táxi e seguiram até a esquina das ruas Humaitá e Martiniano de Carvalho, travessa da avenida Brigadeiro Luís Antônio. Eram 11 horas da manhã de um domingo ensolarado – rua movimentada, com muita gente e muitos carros, e eles nem se deram conta de que haviam chegado ao destino. Quando desceram e viram a casa, não tiveram coragem de ficar por perto – uma reação parecida com aquela que teriam seus primeiros clientes, tempos depois. Pelo que constava dos mexericos do Mercadão, na cabeça de ambos, a casa era grande e bonita. Mas a verdade é que até então ninguém vira o estabelecimento. A aparência intimidava os trabalhadores simples, acostumados à espontaneidade do comércio informal. Ali, ao vivo, impressionava, e o que ambos pensaram de imediato é que aquele açougue não era para eles. Passado o impacto inicial, resolveram observar a movimentação na rua para ver o potencial de clientes. Ao poucos, as vias e calçadas começaram a aglomerar de gente a caminho da missa das 11:15 horas, que teria início em instantes a poucos metros, na Basílica Nossa Senhora do Carmo, na rua Martiniano de Carvalho. Era um vaivém de homens, mulheres, crianças e carros com motoristas, oriundos das regiões dos Jardins, Paulista e Morro dos Ingleses, um público evidentemente bem--sucedido. Terminada a missa, todos se dirigiam para suas casas, sem colocar um único pé nas dependências do açougue.

Aquele comportamento lhe pareceu estranho. Sua primeira conclusão foi a de que um comércio daquela natureza deveria estar em uma região mais rica, provida de pessoas com mais recursos, que valorizassem um ambiente mais refinado. Só que aquele pessoal que circulava por ali era, sim, oriundo dessa faixa social, portanto faria todo sentido entrar no açougue, ao menos para conhecer. Aos poucos os fatos foram se encaixando. Ao olhar para dentro, Bassi notou que, embora as instalações impressionassem, os profissionais não convenciam. Eram açougueiros com aparência descuidada, que deveriam estar malpreparados, sem comprometimento com o bom atendimento. Conversando com o caixa estava Baldocchi, que notou a presença dos curiosos na entrada e os reconheceu do Mercadão. Quis saber se eles moravam por ali, se queriam comprar algo. De forma irônica, Bassi respondeu que sim, que queriam comprar, mas não a carne em si; estavam interessados no açougue, que eles souberam estar à venda. Baldocchi não botou muita fé, mas, como não deveria estar fácil se livrar do ponto, resolveu apostar. Chamou ambos para conhecer melhor a casa. A primeira coisa que surpreendeu Bassi foi o tamanho da tal câmara frigorífica. Era imensa para

seus padrões. Como imenso também era o balcão, coberto de papéis para esconder que ali havia carne. Não à toa: a refrigeração estava desligada. Sobre a mesa, uma peça desossada e mais nada. Um açougue sem sua principal matéria-prima... As moscas haviam tomado conta do ambiente, sujo e malcheiroso. Era um contraste e tanto com aquele espaço todo azulejado, piso de granito, aço inoxidável e vidros para todos os lados.

Ninguém falou sobre o preço e parecia que o vendedor não se entusiasmara muito com a dupla. Seja por mudar de ideia, seja por falta de opções, já na segunda-feira seguinte lá estava Baldocchi no Mercadão, procurando pelos Bassi. A conversa, então, foi mais objetiva. Dona Mafalda quis falar de valores. Quando ouviu a oferta, a primeira conta que lhe veio à cabeça era que a quantia pedida dava para comprar centenas de geladeiras Cônsul como a que haviam acabado de adquirir para a casa, com algum sacrifício. Aliás, para avaliar a dimensão dos preços, lembra Bassi, era comum compará-los aos de outros bens duráveis. O fato é que o assunto ficou em suspenso, e Bassi quis voltar no fim de semana seguinte para olhar novamente, desprovido da empolgação da primeira impressão. Repetiu a operação no domingo, e na segunda já estava mais abastecido de argumentos para negociar com o interlocutor. Bassi ponderou que o valor era alto para uma casa que não tinha movimento. Baldocchi não retrucou, talvez por saber que o garoto tinha razão. Em vez disso, propôs o pagamento em parcelas, conforme as possibilidades, mas sem alterar o montante. Bassi não gostou, utilizando um argumento típico de quem cresceu entre negociantes informais: "tenho meu trabalho aqui; você quer que eu o largue e viva só para trabalhar para você?". Diante da inflexibilidade, Baldocchi reduziu o valor total para a metade e parcelou em cinco anos. A rigor, era um bom negócio para Baldocchi. Se não aceitasse, acabaria voltando para casa com os balcões feitos sob medida, que fatalmente não serviriam para outro local. Negócio quase fechado, surgiu outro entrave. A mãe de Bassi não queria assinar as notas promissórias. Propôs ficar na casa uns quatro, cinco meses e, se não desse certo, desfaria a transação. Baldocchi, temendo perder aqueles únicos interessados, acabou aceitando o acordo. O açougue passaria a ser dos Bassi naquele ano de 1963. Se em definitivo, só o tempo diria.

Nasce a Casa de Carnes Bassi

O negócio foi fechado na terça-feira à tarde. Na quarta-feira cedo, Bassi e três funcionários de sua banca já estavam no açougue fazendo faxina e arrumação. O trabalho no Mercadão começava de madrugada, atendendo os pedidos de atacado dos restaurantes, e nas primeiras horas da manhã já estava finalizado, deixando-os livres para tocar outros serviços. Assim foi até sexta-feira, quando Dona Mafalda deu os retoques finais, distribuindo vasos de flores pelo ambiente. No sábado, a casa foi aberta. A expectativa era grande, na medida da frustração que viria. O movimento não vingou. No domingo, dia de missa, público pífio. Nem os cartazes anunciando promoções despertaram a curiosidade das pessoas. Bassi e sua mãe começaram a achar que haviam dado um passo em falso. Na segunda-feira, recebem a visita de frei Flávio, da paróquia ao lado, que veio dar boas-vindas aos novos vizinhos. Bassi não perdeu tempo e quis saber quem vendia carne para o seminário conjugado à igreja. Quando soube que era um açougue instalado na avenida Brigadeiro Luís Antônio, se ofereceu para fazer o trabalho. Argumentou que, uma vez que estava do lado da instituição religiosa, poderia oferecer pronto atendimento, com qualidade assegurada; e seu preço, garantia, seria altamente competitivo. Ali havia nada menos do que oitocentos estudantes em regime interno, quantidade suficiente para turbinar o comércio da noite para o dia. Frei Flávio resolveu apostar na boa vontade dos recém-chegados.

Dois dias depois, já na quarta-feira, Bassi estava entregando um grande volume de carne, de 70 a 80 quilos, na cozinha do seminário. Para completar, no domingo seguinte, frei Flávio, conhecido pelo carisma e pelo discurso eloquente, selou a ajuda, sugerindo aos párocos conhecerem a então Casa de Carnes Brasil (que logo se transformaria em Casa de Carnes Bassi). Já quando assumiu, Bassi eliminou a denominação "açougue". A modificação foi, digamos, um presente dos céus. O movimento já naquele dia saltou de forma vertiginosa. Os fregueses eram recebidos na porta, com direito a cafezinho e biscoitos, tratamento incomum na época.

Bassi, pelo jeito, quase perdeu a mão com tamanha gentileza. Tanto que recebeu a sugestão de uma visitante ilustre: ao ver o rapaz com corpo de homem se dirigir às clientes chamando-as com toda educação de "madame", uma senhora puxou-o de lado e sugeriu usar apenas "senhora", para não conferir arrogância a elas. Mais tarde, Bassi viria a saber que se tratava da dona de um grupo empresarial, uma entre tantos membros da nata paulista que se dirigiam à Bela Vista para participar da missa e que se tornariam *habitués* da casa de carnes.

Ao contrário de quando administradas pelos antigos donos, as geladeiras estavam fartas de carnes, dos mais diversos cortes. As semanas foram passando nesse ritmo, e a rotina movimentada começou a se impor. Tempo suficiente para que Bassi notasse que o grosso dos pedidos era dos chamados cortes mais refinados, como alcatra, filé-mignon e contrafilé. Acém, patinho e afins ficavam esquecidos nos fundos das geladeiras. Isso não era nada bom, uma vez que ele adquiria um boi completo, e não peças separadas, porque a compra descasada onerava o custo final do produto. Mais tarde, Bassi veio a entender o que acontecia. Muitos dos cortes encalhados na verdade não eram vendidos por serem conhecidos por outros nomes pela freguesia. Os clientes, principalmente os provenientes da Europa, tinham o costume de escolher a carne pelo nome do prato, à moda de seus países de origem. Pediam ossobuco, em vez de músculo com osso; bavette, no lugar de fraldinha, e assim por diante. A rigor, a mudança do Mercadão para a Humaitá imprimira novos paradigmas para o negócio. Lá se trabalhava com uma parte do boi tida como não especial, servindo a atacadistas cuja clientela de varejo não possuía grandes referências alimentares. No novo endereço, em contrapartida, mesmo que vendessem as partes não consideradas "de primeira" qualidade (um conceito que Bassi desaprova, porque avalia que a qualidade está no boi como um todo, e não nas partes), elas iriam servir um prato refinado.

No começo, Bassi fazia todo o trabalho sozinho. Colocava em prática o que observara na tenra infância: o dia a dia do "professor" Praxedes. Aprendeu vendo, uma vez que o açougueiro não permitia ao menino colocar a mão nas carnes, tamanha sua preocupação com a higiene. De tanto olhar, Bassi entendeu como se faziam a desossa, o manejo da carcaça sem couro e a limpeza das vísceras. Nada lhe foi explicado diretamente. Entendia vendo como tudo acontecia, a partir da chegada do carregamento em sacos que eram depositados numa geladeira de madeira, cheia de pedras de gelo, até a carne ser vendida do balcão para o freguês que chegava com um prato na mão. Em bairros, ninguém embrulhava a carne comprada. Além de olhar, o máximo que se permitia ao garoto Marcos era lavar as facas com muito cuidado e deixá-las secando, em pé, como ficou na sua memória. Quando cresceu um pouco mais, começou a desossar com um desses instrumentos com cabo de madeira, que guarda até hoje, como amuleto.

A escola prematura, prática e sólida não trouxe dificuldades para Bassi operar um açougue, mas, à medida que a procura aumentava, ele viu a necessidade de colocar mais um funcionário fixo.

Cultura Alimentar

Tudo era descoberto no dia a dia. Até então o ponto não tinha clientela fixa, não tinha histórico. Bassi começou a realmente se dar conta de seu público ao notar que os clientes de domingo davam lugar às governantas nos dias de semana, enviadas pelas patroas já com o cardápio da semana montado. Quando não conseguia saber do que se tratava, Bassi pedia explicação para os próprios clientes, convidando-os muitas vezes a entrar nas dependências e a apontar o corte que procurava. Com o tempo, a confiança dos clientes era tamanha que o motorista era quem deixava a relação de carnes no balcão. Dona Mafalda anotava a placa do automóvel e consultava o Detran para descobrir o endereço e entregar na própria residência – uma prática impossível nos dias de hoje.

Além de bom atendimento, Bassi acredita que conseguia manter a filosofia que norteou seu trabalho no Mercadão: preço competitivo e qualidade. A este último item ele associou a diversidade, o que não era corriqueiro na época. Na Casa de Carnes Bassi não havia a divisão clássica entre carne "de segunda" e carne "de primeira". Havia, sim, um balcão exclusivo para o que o mercado considerava "de primeira" e outro para o que era tido como "de segunda", mas nenhum levava essas denominações. Até então, de modo geral, havia um preconceito com relação a algumas partes do boi. À exceção do ossobuco (proveniente do músculo, com osso), conhecido e reverenciado como iguaria, não se enaltecia a carne da parte dianteira do boi. A origem dessa discriminação é porque, com a parte dianteira, não se conseguem fazer os mesmos pratos que se fazem com a parte lombar. Já o contrário é verdadeiro, ou seja, com o quarto traseiro é possível fazer quase tudo o que se faz com o dianteiro. É uma questão de textura, como explica Bassi. Pode-se grelhar um bife de contrafilé, mas não se pode grelhar um bife de paleta, pois fica duro. Este serve para cozinhar e para outros fins. Existem, porém, pratos que ficam melhores com a parte dianteira. Para qualquer opção que inclua cozinhar ou assar, a parte dianteira é ideal. É mais saborosa, tem mais colágeno, conforme conta o especialista. Dentro dessa filosofia, Bassi fez questão de evidenciar seu método de trabalho logo nos primeiros meses de funcionamento do estabelecimento. Dividiu o balcão de 16 metros de largura em três. De um lado ficavam coxão mole, coxão duro, patinho, lagarto e afins; do outro, os cortes especiais, como ossobuco, tournedos, maminha e miolo de alcatra. No meio, a carne proveniente da dianteira, como braço, peixinho do braço, acém moído, capa de filé, capa de filé especial para molho e acém especial para carne moída. Como comprava um boi inteiro e, por questões de produtividade, precisava vender todo o animal sem abrir mão do padrão de qualidade, era preciso criar na clientela o hábito de identificar a peça pelo nome e de saber qual a carne mais adequada para o prato a ser preparado. Qualidade, afinal, tem de ser um item básico e fazer parte de todos os cortes.

Bassi recebia fregueses provenientes das mais diversas origens. Batiam à sua porta franceses, alemães, italianos, suecos, austríacos, cada um pedindo à sua

maneira. Vinha um e perguntava sobre o tournedos. Bassi tentava adivinhar o que era. Não fazia ideia de que não passava de uma carne, idealmente o filé-mignon, para enrolar com bacon. Dali a pouco entrava um e queria um entrecôte. Outro queria uma carne especial para um bife de Borgonha. Em pouco tempo ficou claro que aquilo era outra coisa. Tratava-se da parte certa do boi para a culinária que o cliente iria desenvolver, fosse ele italiano, francês ou alemão. A cultura alimentar dos clientes os fazia pedir: "eu quero uma bavette", que nada mais é do que uma fraldinha. Ocorre que dentro do boi existem "n" fraldinhas. Fraldinha do diafragma, do vazio, dos rins. A questão a saber era qual o corte mais adequado, com base na sua finalidade. Isso é culinária, Bassi viria a concluir. Só que quase ninguém sabia: nem ele nem boa parte dos consumidores do Brasil.

O fato de receber uma variedade de estrangeiros forçou Bassi a entender algo de culinária e de cortes de diversos países. Foi então que começou a fazer encomenda a frigoríficos especializados. Ao mesmo tempo, recorreu aos consulados, porque, no seu entendimento, eles teriam boa vontade em ajudar um brasileiro disposto a atender bem seus cidadãos. E estava certo. As embaixadas, de pronto, começaram a enviar livros e revistas ilustrados sobre culinária. Havia, claro, a barreira da língua, mas os próprios fregueses o ajudavam. Quando pediam algo que Bassi desconhecia, eles iam até as publicações e apontavam o prato que iriam preparar e a parte do boi onde esses cortes estavam. Foi quando Bassi começou a aprender uma parte da culinária traduzida em cortes. Vinha um americano e queria um strip com contra; ele já sabia que se tratava de contrafilé. Se dizia ribeye, Bassi entendia que era outra parte do contrafilé, e assim foi aprendendo não só as partes anatômicas em várias línguas, como também a culinária de cada país.

No início da nova casa, um profissional em especial foi determinante para que Bassi conseguisse oferecer os produtos finais que julgava necessários. Seu nome era Waldemar Martins, um fornecedor de 1,95 metro de altura, que, devido às dimensões avantajadas, tinha o apelido de "Bola". Quem os apresentou foi o próprio Baldocchi, o intermediador da compra da casa de carnes. Até então, todos os contatos de Bassi traziam apenas miúdos. Waldemar ajudou o jovem comerciante a compor as compras de carnes, que eram casadas e por isso determinariam o estoque e o lucro do negócio. O fornecedor explicava para Bassi a necessidade de se vender mais de determinado corte para que pudesse comprar um outro, que muitas vezes tinha maior procura. Assim, Bassi flexibilizava o preço, de maneira a acelerar as vendas, nem que fosse para embolsar menos naquele momento para depois compensar com um ganho maior, mais adiante. Ao mesmo tempo, pesquisava o preço da concorrência, principalmente dos supermercados grandes, a fim de ser competitivo. Melhor qualidade e apresentação ele já detinha, mas esses atributos não podiam ser ofuscados pelo preço elevado. Bassi tinha consciência de que seu ponto era o menos vistoso em relação à concorrência.

Em contrapartida, sabia que os clientes nobres se deslocavam para o local que oferecesse o melhor do que procuravam. O fato de estar colado à Basílica Nossa Senhora do Carmo e no caminho do ponto de encontro da elite paulistana era um diferencial e tanto. Até ele chegavam potenciais clientes dos lugares mais nobres da cidade. Nos fins de semana, eles começavam a comprar dos seus balcões. E, como se disse, com o reconhecimento dos seus produtos e serviços, mandavam seus empregados durante os dias da semana, com uma lista de encomendas.

A consagração dos cortes nobres

Daí a passar para os cortes que Bassi começou a divulgar não foi tão distante assim. O que era vendido para os europeus e para os americanos começou a ser oferecido aos brasileiros. Alguns foram modificados, como o steak do açougueiro e o tournedos; outros, descobertos, caso do bombom, da fraldinha e do miolo de alcatra. O sucesso o impulsionou a construir uma churrasqueira de três metros de comprimento e oferecer também a carne preparada para consumo.

Era o embrião, despretensioso, do que viria a ser o restaurante Templo da Carne. Instituiu-se, então, um critério a ser adotado na hora da preparação no fogo. Assar, por exemplo, apenas as carnes com bastante gordura, pouca manipulação e pedaços grandes. Grelhar, só as peças menores, e mais próximas da brasa. Tudo isso começava a ser traduzido para a culinária e para os hábitos, que, no fundo, no fundo, continuam sendo os mesmos do churrasco do fim de semana, só que consumido de maneira diferente. Nada de pão e vinagrete. O que era colocado na brasa ali já eram os cortes que lhe fariam fama e dariam nova imagem à sua casa e ao seu negócio. Eram frutos de uma manipulação mais específica, mais limpa, um produto final para aquilo que se vai consumir. Quem chegava ali encontrava à venda uma bandeja de tournedos, de baby beef, de steak do açougueiro. Cortes raros a que a população sem conhecimento de gastronomia internacional nunca tinha tido acesso.

Marcos Bassi não sabe precisar qual foi a inspiração para fazer tudo como fez. Acredita que tenha sido um pouco de intuição e muito de pesquisa e trabalho, uma coisa levando à outra. Dois fatores, porém, parecem determinantes: a habilidade manual e a disposição para orientar a clientela. Um bife simplesmente jogado numa bandeja não poderia ser oferecido como entrecôte. Era preciso dar o acabamento necessário. Em um primeiro momento, quem compraria essa carne eram os estrangeiros, já familiarizados com o corte. Mas depois quem estaria ali era a dona de casa brasileira, que precisava ser informada sobre a camada de gordura que teria de ser deixada, sobre a quantidade de sal a ser aplicada ou, como ele próprio aprendera com os franceses, sobre a conveniência de valorizar o sabor usando manteiga de ervas. Eram informações de grande valor, porque essa mãe brasileira levaria para casa uma carne diferenciada para prepará-la de forma especial, agradando a toda a família. Embora não tivesse plena consciência, Bassi começava a mudar os paradigmas.

Bassi inovou numa época em que as pessoas compravam bife "bem fininho", porque assim não ficaria duro – mas perderia muito do sabor. Gostava de trabalhar com peças maiores, sem abrir mão da camada de gordura que, ainda que não fosse para ser consumida à mesa, era importante durante o preparo para acentuar o sabor. Sabendo de seu apreço por esse tipo de carne, os frigoríficos começaram a reservar peças com características bem próprias para a Casa de Carnes Bassi, consolidando o estabelecimento como fornecedor de produtos nobres.

Paralelamente, o processo de embalagem a vácuo foi crucial para o sucesso de seu negócio. Diante da necessidade de aumentar a oferta de produtos, Bassi investiu em carne maturada, mais macia. Quando a procura aumentou de forma acentuada, não havia tempo hábil para desossá-la e servi-la na quantidade adequada. Era preciso ser mais versátil no momento de oferecer um produto que não tivesse tanta quebra. O fato de a peça ficar na câmara e ser retirada por partes provoca ressecamento. A prática do envelhecimento controlado da carne a uma temperatura de 0 grau pelo prazo de cerca de 25 dias, ou dry aging, era mais comum até então em países da Europa como França, Itália e Inglaterra, cujo gado tem mais gordura dentro da carne. No Brasil demorou a ser adotado, porque aqui o boi é de outro tipo, com outra temperatura, com odor mais forte e outras especificações, completamente diferente. O processo a vácuo, com extração do ar e temperatura controlada, dá ao produto um salto de qualidade muito grande.

Na área frigorífica, nas cozinhas industriais, o trabalho de Bassi foi fundamental não só na desossa, de maneira a melhorar o rendimento, mas também na criação de aparatos internos para melhorar a produtividade, aspectos interessantes para quem trabalha com carne. Entre eles estão a máquina de fazer espeto e as porções controladas.

Ciente de que a aparência é um belo cartão de visitas, Bassi adotou uma forma de personalizar as entregas. Transportou para a Casa de Carnes Bassi um aprendizado dos tempos do Mercadão: evidenciar os produtos com alto valor agregado. Os embrulhos chegavam a seu destino em papel celofane, como faziam seus colegas com o bacalhau importado. O controle de qualidade, diz, deve constar em todo o processo. Um pequeno deslize pode comprometer o trabalho de toda uma cadeia.

Em sintonia com o cliente

Adélcio, que trabalha há quarenta anos com Bassi, sabe muito bem o que isso quer dizer. Desde o primeiro dia em que começou a dar expediente ali, quando vê Marcos Bassi entrar no setor de carnes pela manhã, ele já sabe que terá de responder a duas perguntas. A primeira é como está o padrão de qualidade dos produtos. Depois de ouvir a resposta, Bassi entra na câmara frigorífica e vê tudo com seus próprios olhos. Em seguida, quer saber qual foi a carne que vendeu mais, mesmo que a questão já tenha sido respondida por Joel na madrugada anterior. Bassi faz questão de dizer que isso não tem nada a ver com insegurança, mas com o intuito de reforçar a responsabilidade de cada um com o trabalho que executa. O próximo a ser abordado pessoalmente é Joel. Ele já passou as informações, mas Bassi quer saber das impressões e da sensibilidade. O mais importante, na sua convicção, não é conhecer o número, mas a "alma do número". Todo e qualquer item de seu negócio tem um significado especial, não está ali por acaso. Está lá porque foi pensado, porque há um motivo importante

para tal. Anexo ao salão principal do Templo da Carne, por exemplo, existe um sino, peça histórica colocada ali para que, nos almoços dos clientes, o próprio Bassi o acione para comemorar algo de relevância. Abaixo dessa peça, no chão, existe uma tampa com acabamento artístico com mais de cem anos de existência. Assim como esses itens têm sua razão de ser, Bassi também acredita que há um significado por trás das vendas de uma peça de t-bone ou de uma bisteca fiorentina, por exemplo. Com isso, o cliente sinaliza que seu paladar e suas referências estão sendo depurados. E Bassi sorri, orgulhando-se de saber que seu trabalho é responsável pela construção dessa sofisticação gastronômica. A partir de suas mãos, a carne passou a ser vista e saboreada de outra forma.

os **Instrumentos**

AGORA, EM SUAS PALAVRAS, O MESTRE DA CARNE
NOS MOSTRA O PASSO A PASSO DE SEU TRABALHO,
COMEÇANDO PELO SUPORTE BÁSICO PARA UMA

perfeita manipulação.

FERRAMENTAL
facas, garfos & cia.

Antes de começar o churrasco, é preciso providenciar os acessórios que considero essenciais para preparar e manipular a carne. São peças básicas, sem sofisticação, mas fundamentais para iniciar os trabalhos de forma produtiva.

A primeira dessas peças, como se pode imaginar, é a faca. Há uma variedade de opções, mas, tendo em vista que a carne já vem desossada do frigorífico, amadores podem dispor de dois modelos que já dão conta do recado: uma faca de seis polegadas e outra um pouco menor.

O garfo também deve ser o apropriado, de tamanho médio, como se vê a seguir.
Por fim, uma chaira – aquele artefato utilizado para afiar facas e similares, composto de uma peça de aço com cabo de madeira, osso ou plástico.

Faca de desossa, para cortar pequenos animais e costelinhas; faca média, para cortar carne; chaira, para acertar o fio da faca; e um pegador.

Manipulação

Instrumentos a postos, é preciso saber manipulá-los com eficácia, principalmente a faca, a fim de obter maior precisão e melhor aproveitamento dos cortes, e consequentemente mais qualidade no produto final.

O primordial é se ater ao direcionamento correto da pegada. A forma de empunhar irá determinar o sucesso da empreitada. Quando estiver com uma faca na mão, não importa se pequena, média ou grande, o primeiro passo é colocar o indicador em cima do lado oposto ao da lâmina, segurando firmemente. Assim, o corte tem tudo para sair exato, sem que fiquem partes para um lado e para outro.

Para firmar a faca, utilize os indicadores.

Manipulação dos instrumentos.

O garfo ideal deve ter dimensões e formato que possibilitem firmeza no momento de perfurar uma costela, por exemplo, ou uma peça maior, como a picanha. Mas isso pode ser aplicado a qualquer carne que se for cortar.

A chaira será responsável por afiar a lâmina da faca. Durante essa operação, jamais se devem fazer movimentos de afiar no sentido do braço, para não causar acidentes. O correto é deslizar a faca sobre a chaira, na direção oposta à do seu corpo, de um lado e de outro. Para afiar a ponta da faca, friccione apenas ela, também de um lado e de outro. Aliás, é perfeitamente possível treinar esses movimentos, mexendo a munheca para dentro e para fora, como se estivesse espanando pó. Com o polegar em cima da parte da faca sem corte, deslize ambas as faces da lâmina na horizontal (não vertical) no sentido de afastamento do seu corpo, fazendo movimentos de ir e vir com a munheca.

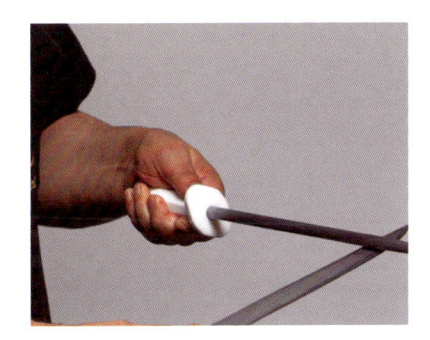

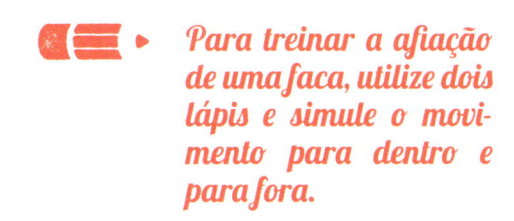
Para treinar a afiação de uma faca, utilize dois lápis e simule o movimento para dentro e para fora.

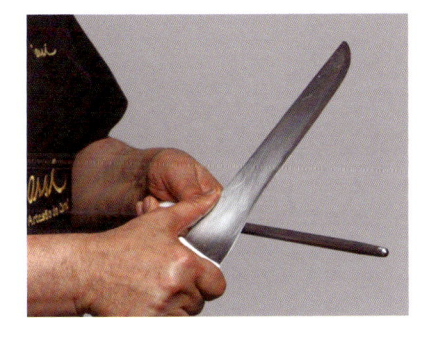
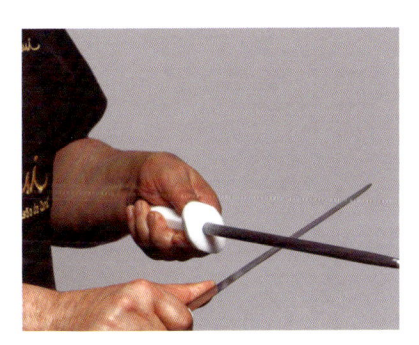

O movimento correto: para passar a faca na chaira, faça um ângulo de 70 graus, com a mão firme e o polegar em cima da faca, levando-a para frente. Repetir de cada lado, escorregando da base até a ponta.

CHURRASQUEIRA
Instalações e operação

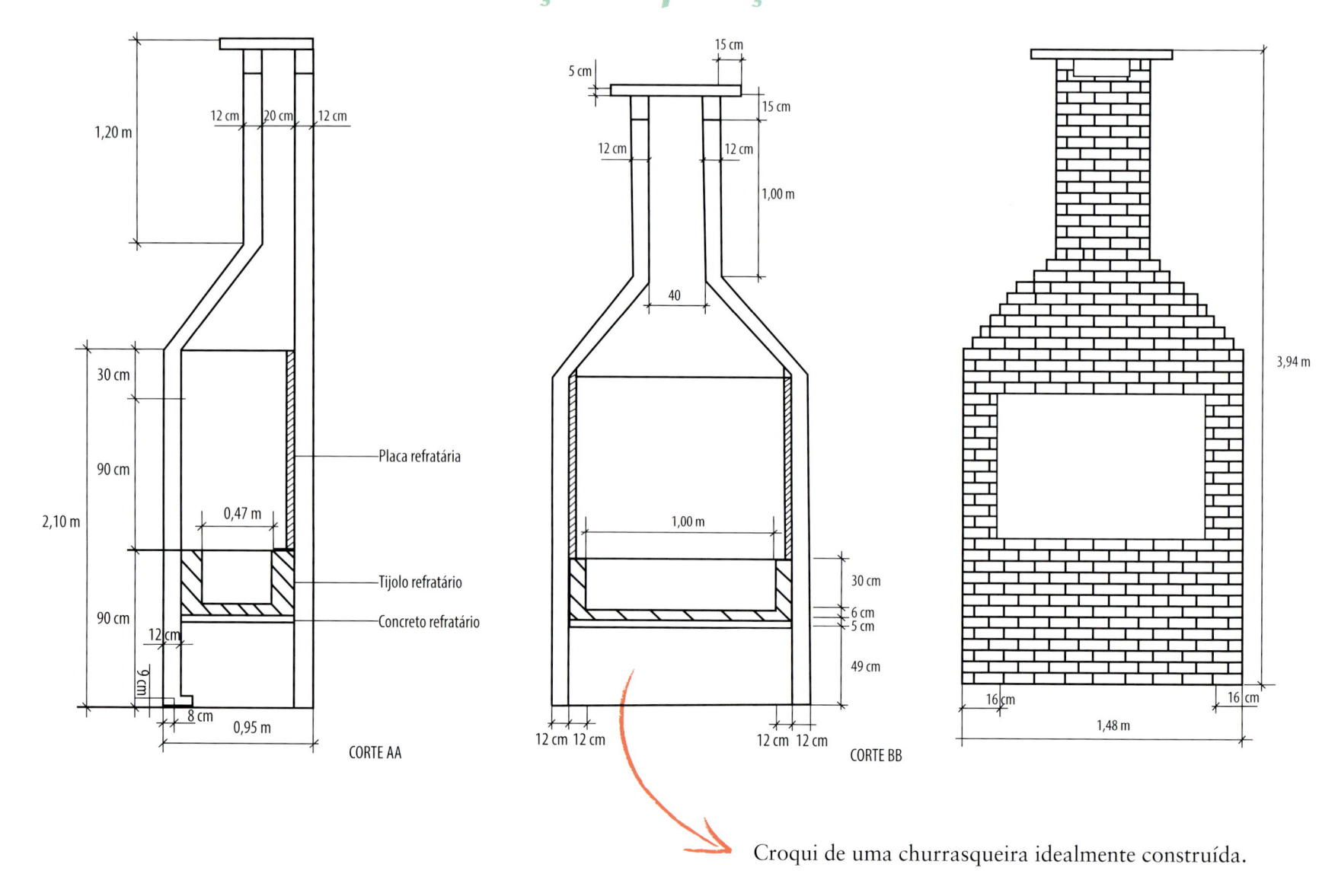

CORTE AA

- 1,20 m
- 12 cm | 20 cm | 12 cm
- 30 cm
- 90 cm
- 2,10 m
- 0,47 m
- Placa refratária
- Tijolo refratário
- Concreto refratário
- 90 cm
- 12 cm
- 9 cm
- 8 cm
- 0,95 m

CORTE BB

- 15 cm
- 5 cm
- 15 cm
- 12 cm | 12 cm
- 1,00 m
- 40
- 1,00 m
- 30 cm
- 6 cm
- 5 cm
- 49 cm
- 12 cm | 12 cm | 12 cm | 12 cm

- 3,94 m
- 16 cm | 16 cm
- 1,48 m

Croqui de uma churrasqueira idealmente construída.

As características da churrasqueira influenciam de forma considerável o sucesso do churrasco. É por isso que eu sugiro o croqui de uma instalação profissional, que, apesar da denominação "profissional", é relativamente simples de fazer.

Por outro lado, trabalhando com critérios, você pode preparar a carne com qualidade, mesmo em uma churrasqueira mais simples e menor, desde que esta esteja bem estruturada e equipada com o básico. No fundo, no fundo, a melhor churrasqueira é a mais simples que existe. Seu grande atributo é conservar o calor. Isso é possível porque não há aquele gaveteiro no meio e nem as grelhas internas, que fazem com que o braseiro fique muito forte e, de repente, perca a intensidade do calor. Uma boa churrasqueira consiste nos três lados (as duas laterais e o fundo), além da base, totalmente fechados.

Costumo dizer que os domínios da churrasqueira são a pequena área do churrasqueiro, na qual faz as vezes de goleiro: só ele põe a mão. Quanto menos palpite, melhor, e maior o controle sobre o processo e o que será servido. Mas, claro, isso não impede que se tenha um ou mais ajudantes, desde que todos obedeçam a apenas um comando e sigam alguns procedimentos que se podem chamar de técnicos.

Acendendo o fogo

Um equívoco comum ao fazer um churrasco é colocar carvão demais. Não é à toa que muitos têm dificuldade de iniciar a chama. Pouca quantidade de carvão, mas bem acomodada, é o suficiente para começar os trabalhos. O excedente deve ser deixado ao lado do fogo, para que vá secando e depois seja utilizado para dar maior intensidade ao calor.

Não há segredo na hora de acender o carvão. Basta o auxílio de álcool em gel ou de um pãozinho velho encharcado com um pouco de álcool. Depois, é só adicioná-los àquele carvão deixado ao lado, sempre aos poucos, para manter uma temperatura constante. Se for colocada uma quantidade muito grande de carvão, o braseiro vai diminuir em determinado momento e no outro vai levantar labaredas. Isso não é bom para a carne, nem para assar nem para grelhar. O ideal é que o carvão seja composto por pedras não muito pequenas, como na foto.

Por fim, não é necessário nem recomendável jogar as cinzas fora; guarde-as para o próximo churrasco.

Atenção

Na churrasqueira, cuidado com a proximidade entre a garrafa de álcool e o fogo, e com a disposição da faca a ser utilizada; deixe-a à vista, nunca embaixo de panos, e sempre com a ponta para baixo ou com a lâmina virada para dentro.

Veja que a quantidade inicial de carvão é pequena.

Carvão sendo aceso.

Veja como o carvão acende com facilidade.

Reserve as cinzas do churrasco anterior e utilize-as sobre o braseiro do novo churrasco. Assim, no momento em que a gordura cair o braseiro não levantará labareda. Deixe o trabalho com água para os bombeiros.

Jogue as cinzas sobre a brasa com o auxílio de uma pá, conforme a figura acima.

 Para controlar a temperatura do braseiro, coloque a mão sobre a grelha e conte de um até cinco. Se você suportou até "cinco", está excelente, ideal para grelhar, para assar a 40 cm ou a 60 cm. Se interrompeu a operação no "quatro", está muito forte, e significa que você vai queimar a carne. Se chegou a "seis", a carne será cozida, não grelhada.

Posicione-se assim para iniciar a contagem:

Carnes grandes devem ser assadas a 40 cm da brasa; muito grandes, a 60 cm. Já para grelhar, posicione a carne a 15 cm da brasa.

Ponto da carne

O ponto da carne está literalmente na palma da mão. Para saber se está malpassada, junte os dedos indicador e polegar, sem fazer força, e pressione a palma da mão, logo abaixo do polegar. Trocando o dedo indicador pelo médio e pressionando a mesma região, a sensação é de uma carne ao ponto. Substituindo o médio pelo dedo anular, você percebe que a palma da mão enrijeceu um pouco mais: corresponde ao bem passado. Ou seja, no momento em que se troca de dedo, a palma da mão vai ficando mais durinha, simulando a mesma reação da carne com o fogo.

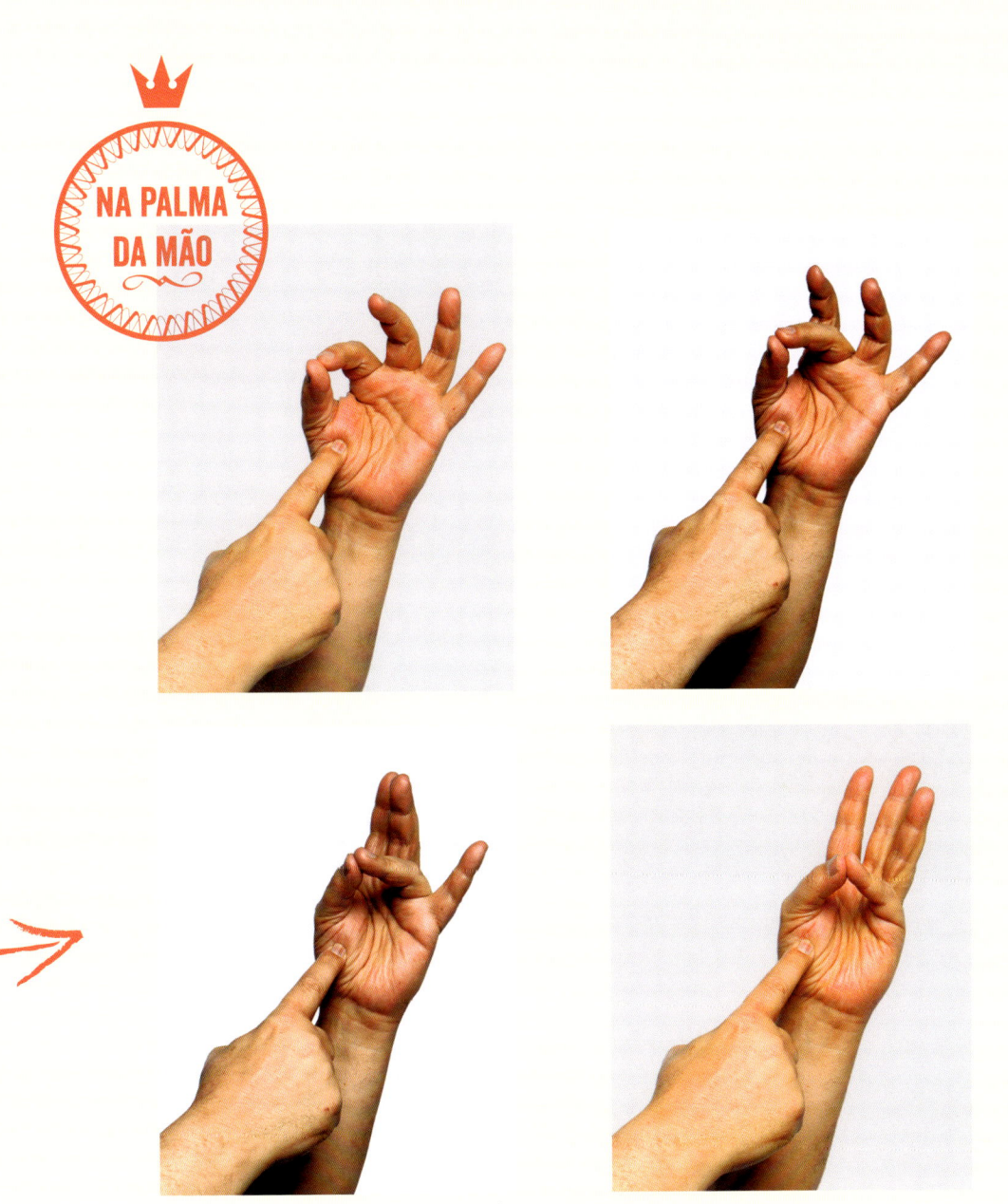

Alterne os dedos da mão conforme sequência acima.

O Ofício

CARNES
Manipulação e preparo para o churrasco

Uma questão controversa

No meu entendimento, não existem cortes de segunda ou de primeira, como se costuma dizer. Todas as carnes podem ser saborosas e nutritivas, desde que preparadas da forma correta e que seu uso obedeça às características próprias. Se a carne não for bem escolhida, seja a peça que for, o churrasco será de segunda qualidade. Ponto. Porque, no fundo, o que existe entre a primeira qualidade e a segunda é o animal, ou seja, a forma como ele foi cuidado, criado, alimentado e abatido (é necessário um frigorífico sob controle do Serviço de Inspeção Federal – SIF). As precauções a serem tomadas com a carne, portanto, são, primeiramente, conhecer o lugar em que você está comprando e, em segundo lugar, saber se esse local não trabalha com boi de segunda qualidade.

Cortes

Para se ter uma noção geral das partes do boi que utilizamos, veja este esquema didático que criei:

1. Pescoço
2. Acém
3. Peito
4. Braço
5. Fraldinha
6. Ponta de agulha
7. Filé-mignon
8. Filé de costa
9. Contrafilé
10. Capa de filé

11. Alcatra
12. Patinho
13. Coxão duro
14. Coxão mole
15. Lagarto
16. Músculo dianteiro
17. Músculo traseiro
18. Aba de filé
19. Maminha de alcatra
20. Picanha

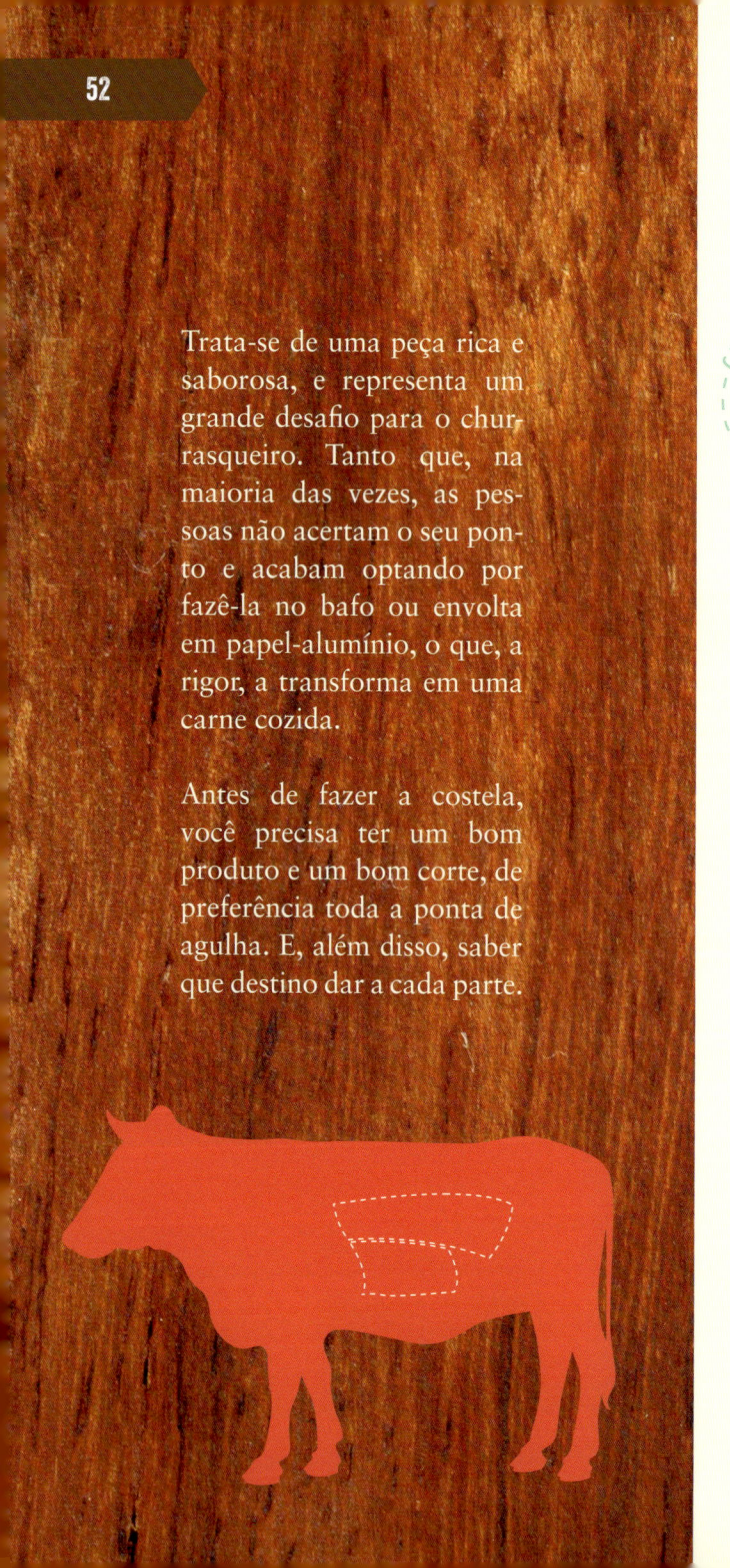

Trata-se de uma peça rica e saborosa, e representa um grande desafio para o churrasqueiro. Tanto que, na maioria das vezes, as pessoas não acertam o seu ponto e acabam optando por fazê-la no bafo ou envolta em papel-alumínio, o que, a rigor, a transforma em uma carne cozida.

Antes de fazer a costela, você precisa ter um bom produto e um bom corte, de preferência toda a ponta de agulha. E, além disso, saber que destino dar a cada parte.

REGIÃO DA COSTELA

Costela bruta (ou ponta de agulha)

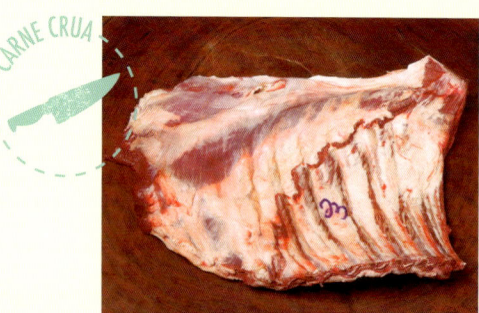

Parte interna. Nessa peça está todo o conteúdo: pacu, costela do vazio, costela central e uma parte da costela do peito.*

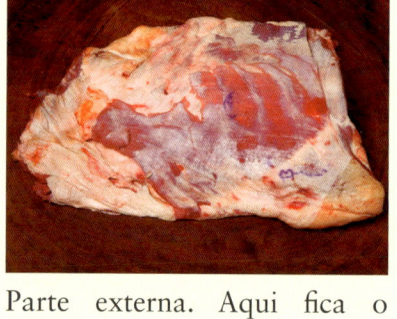

Parte externa. Aqui fica o matambre, revestimento que fica logo abaixo do couro e encobre uma camada de gordura.

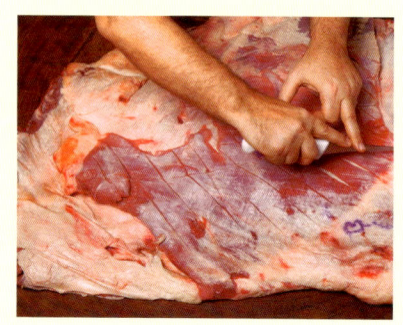

Matambre durante o corte.

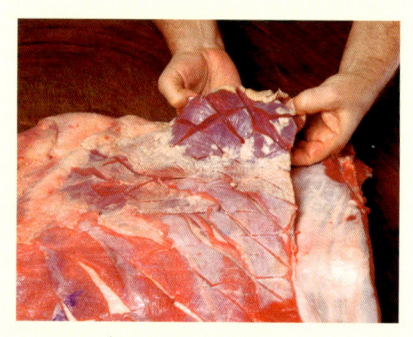

Matambre sendo deslocado.

* O peso bruto dessa ponta de agulha é de 23 kg.

Pacu

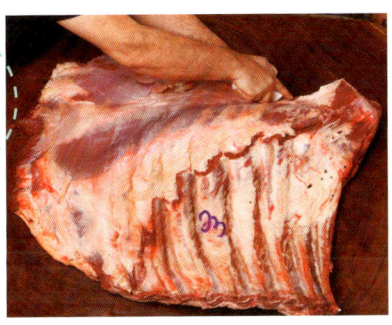

Sem aprofundar a faca, perfure desde a ponta do peito até a ponta da costela.

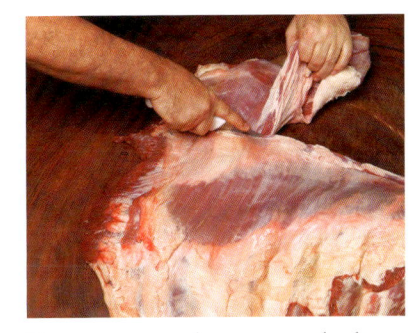

Puxe as membranas, pela lateral, sem cortar a carne.

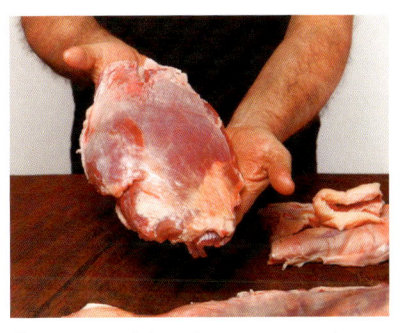

O pacu sai inteiro, sem maiores esforços.

Assado a 60 cm da brasa, o pacu toma corpo e cresce. Também é possível fazê-lo cozido, na panela.

Ao cortar, perceba que a carne ficou corada, apetitosa. Corte em fatias finas e adicione molho vinagrete ou de cebola.
Pode ser comido no prato ou em sanduíche.

Costela do vazio

É a parte com menos osso, com uma camada de gordura e o fraldão, que, apesar do nome, não tem nada a ver com a fraldinha e fica grudado na parte inferior da costela.

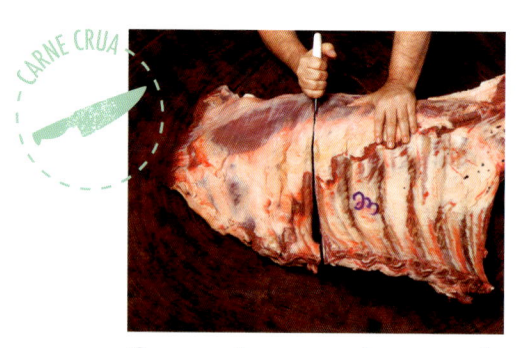

CARNE CRUA

Conte três ossos, da esquerda para a direita, e passe a faca, puxando com força, numa só direção, reta.

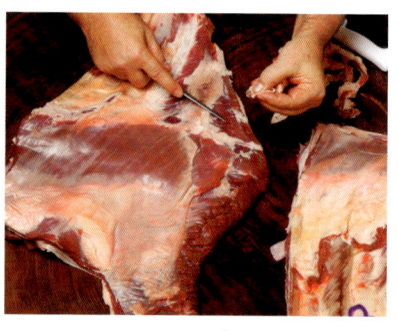

Retire o excesso de sebo, que é diferente da gordura comum, pois apresenta-se mais pastoso, tem cor esbranquiçada e odor característico.

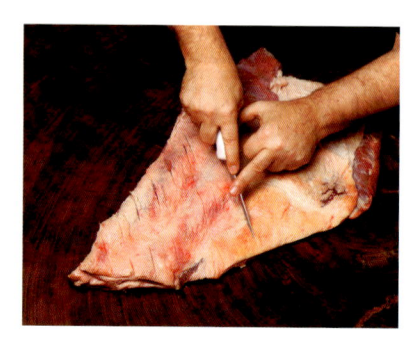

Faça pequenos riscos na gordura, sem aprofundar, para depois salgar. Você deve usar o indicador da mão que segura a faca e o dedo médio ou indicador da mão oposta para ter mais força e precisão.

Lado externo.

Lado interno.

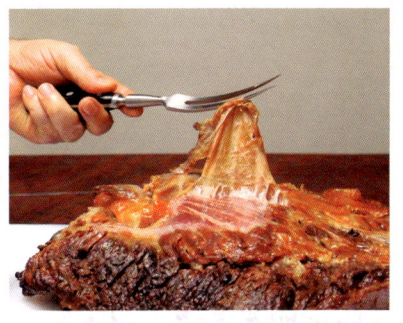

Retire toda a membrana superior.

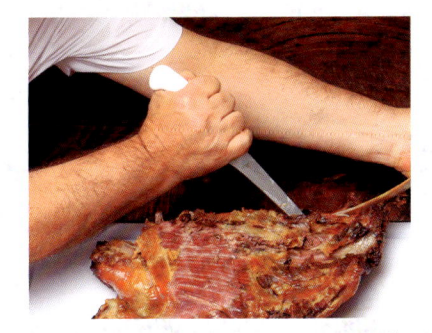

Retire os ossos com a ponta da faca.

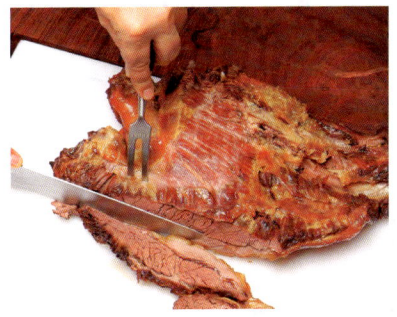

Corte em fatias médias, da grossura de um dedo indicador.

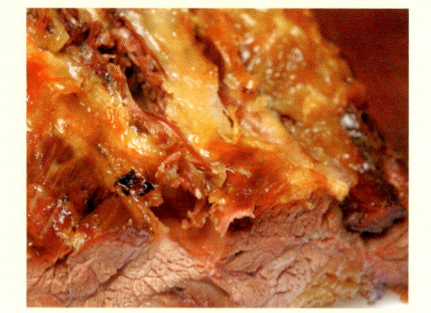

Quando terminar de cortar essa parte da carne, vire o lado e corte-a no sentido longitudinal.

Perfeito!

Costela central

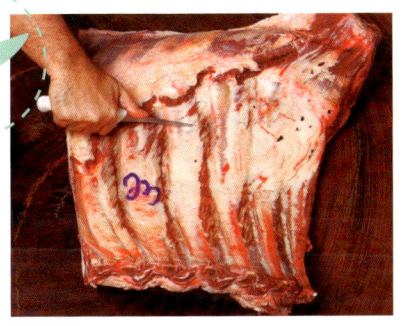

Demarcação da costela central para ser cortada na serra elétrica.

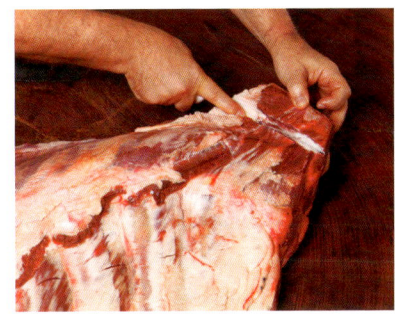

Retirada da ponta da costela, na linha da cartilagem (parte branca).

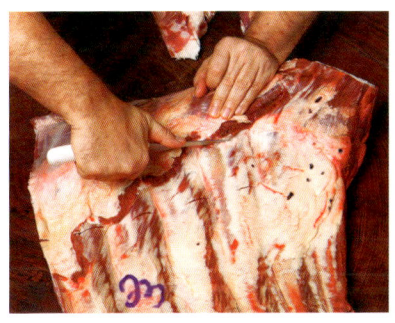

Demarcação da abertura entre a cartilagem e a costela do peito.

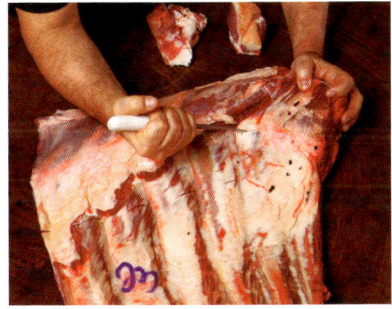

A operação é feita com a ponta da faca, sem aprofundá-la e apenas deslocando o osso.

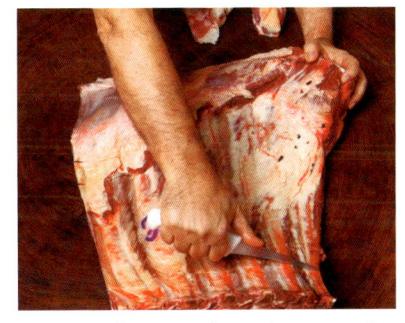

Ponta do quadro da costela, que será retirada e posteriormente utilizada para fazer um cozido (veja a seguir).

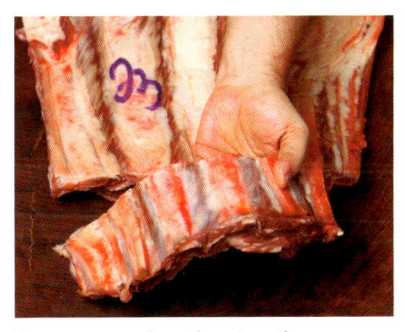

Peça serrada, destinada ao cozido.

Corte no sentido longitudinal.

CARNE ASSADA

Assado completo.

Parte superior da capa de filé.

Atenção

Jamais compre num estabelecimento que trabalhe com serra de mão. O corte tem de ser feito com a serra elétrica, limpa.

Retirada da parte do matambre, que é a casquinha mais consistente, para servir como aperitivo.

Com a ponta da faca, corte a costela até a retirada do primeiro osso.

As fatias devem ter a grossura de um dedo.

Vire a costela do lado interno e retire os ossos.

Nem é preciso fazer esforço. O osso está solto, praticamente limpo.

Continue o corte na parte interna.

Sempre que estiver cortando uma peça de carne, crua ou assada, coloque o indicador sobre a faca, para melhor direcionamento. A empunhadura deve ser firme, de maneira a fazer somente um corte, uniforme, sem retalhar a carne.

Peça recortada e limpa, com todo o excesso de sebo retirado. Na linha superior, da esquerda para a direita: pacu, costela do peito e ponta do peito para o cozido. À direita, no centro, costela central. No canto inferior direito, costela com capa de filé para cozido, e, à esquerda, costela do vazio.

RECEITA
Cozido à moda Marcos Bassi

Utilize a costela cortada e a parte desossada do peito, sem cartilagem. Incremente com pimentão, alho, salsinha, cebola, batata, tomate e sal grosso triturado.

Azeite e pimenta-do-reino a gosto.

Leve direto para a churrasqueira ou, se preferir, para o forno.

Não coloque sal muito fino ou triturado, porque pode salgar demais. Para salgar peças pequenas, com menos de 3 cm de espessura – que geralmente devem ser grelhadas –, faça em um prato uma base de sal, com o sal mais fino (que na verdade é o sal grosso, mas triturado). Na parte superior, espalhe mais um pouco. Nas peças maiores, destinadas a assar, o ideal é usar o sal mais grosso. Quanto maior a peça, maiores devem ser os grãos de sal. A costela e as peças com mais de 1 kg recebem o terceiro tipo de sal, composto por pedras bem maiores. Massageie o sal em toda a carne, inclusive na gordura, e deixe de lado na churrasqueira.

A carne deve ficar descansando no sal por, no máximo, 6 minutos, em temperatura ambiente. Acima desse tempo, pode haver desidratação.

SALGAR
Tipos de sal:

Sal grosso de pedras grandes, para costela.

Sal grosso de grãos médios, para carnes acima de 1 kg.

Sal grosso de grãos finos, para carnes pequenas e grelhadas.

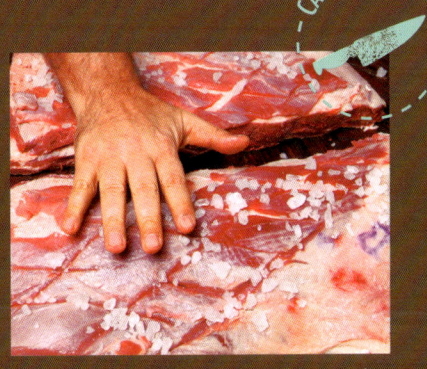

As pedras maiores são ideais para peças grandes, porque não salgam demais. Atente para os cortes no matambre, que facilitam a penetração do sal na carne.

Todas as peças salgadas.

Todas as peças foram salgadas, em temperatura ambiente, com exceção das que vão para o cozido. As carnes devem permanecer assim por cerca de 20 minutos. Acima desse tempo, corre-se o risco de salgar demais. Em seguida o sal deve ser totalmente retirado das peças antes de elas serem levadas à churrasqueira. Fique atento para que não tenha sobrado nenhuma pedra grande de sal: em contato com o calor, ela pode explodir e ferir quem estiver por perto da grelha.

Depois de retirar todo o sal, coloca-se a peça para assar a 60 cm da brasa: os ossos virados para baixo e a parte da gordura com a carne, para a parte superior. Quando a carne começar a desprender do osso, é o momento de virar a gordura para o lado de baixo.

As preferências no churrasco variam muito. Uns gostam de fraldinha, outros de maminha e há os que acham costela irresistível. A maioria das pessoas escolhe mesmo a picanha. No entanto, quando se dispõe de uma peça de alcatra completa, é possível fazer um churrasco com sucesso. Peça completa é quando se tem a maminha, o miolo de alcatra e a picanha juntos.

REGIÃO DA ALCATRA
Alcatra bruta

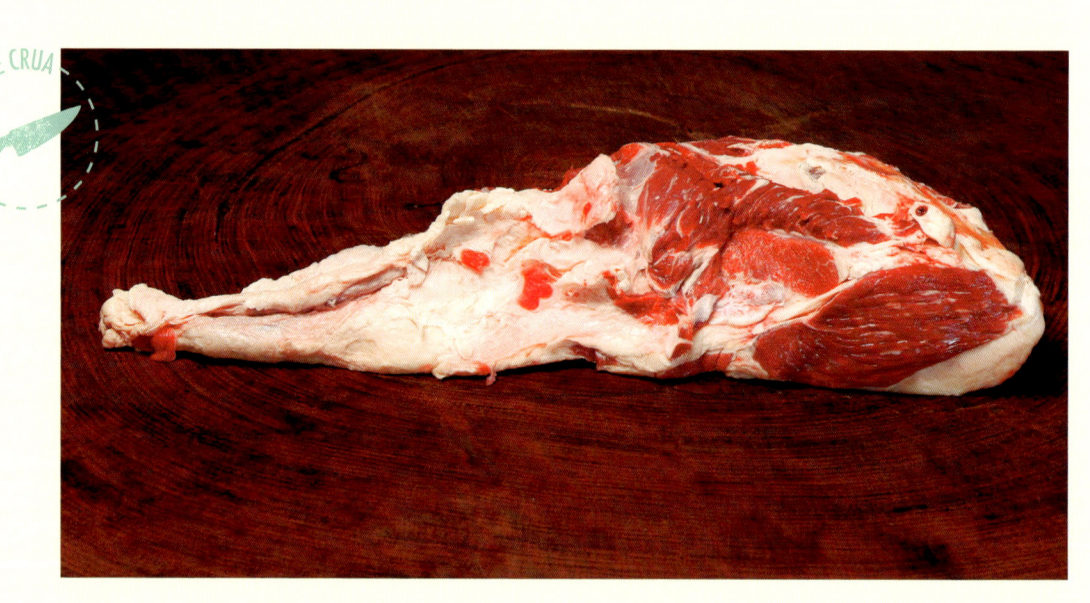

CARNE CRUA

Corte primário, peça inteira. Daqui serão separados a maminha, que faz parte da virilha do boi; o steak do açougueiro (ou rolha), corte que criei e que corresponde à parte superior da alcatra bruta; a picanha, que faz parte do coxão duro, unido à alcatra; e o miolo de alcatra, que será dividido no nervo central, produzindo o bombom (corte também original) e o que é conhecido como baby beef. De uma mesma peça de alcatra completa é possível extrair vários sabores.

Maminha

Quando se desloca a maminha, fica evidente que ela não faz parte da alcatra (corte menor). Não se trata de uma carne grudada à alcatra, pois não se trata do mesmo músculo. Tanto que é possível abri-la com a ponta da faca e com as mãos, sem grandes dificuldades e sem cortes. É possível remover a maminha sem mexer no miolo da alcatra. O mesmo ocorre quando se desloca a picanha da alcatra. Não é preciso cortar absolutamente nada, apenas deslocá-la suavemente, tirando a aponevrose (membrana esbranquiçada, fibrosa e resistente que envolve os músculos) e o sebo. Nunca tire a gordura, ainda que não vá comê-la. Toda essa operação pode ser feita tanto pelo açougueiro como em casa. Basta certa delicadeza, cuidado e uma faca bem afiada. Procure não afundar nem penetrar profundamente com a faca. Sensibilidade aqui é tudo. A limpeza só é necessária quando a peça é adquirida inteira em um açougue. Existem açougues, porém, que fazem essa operação de limpeza para o cliente. Tirando os excessos e fazendo o aparelhamento, o corte fica mais bonito, a peça tem uma presença melhor. Quando então ela é exposta na frente da sua churrasqueira, é fantástico, porque todos ficam admirando-a. Isso valoriza mais o seu churrasco.

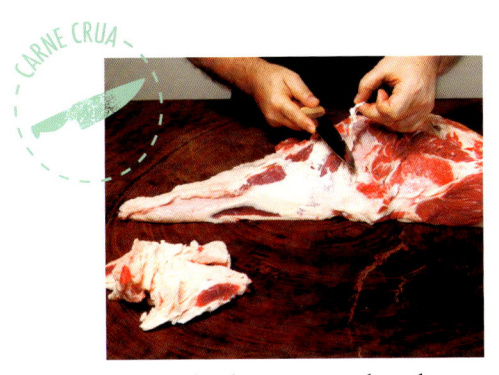

Retirada do excesso de sebo.

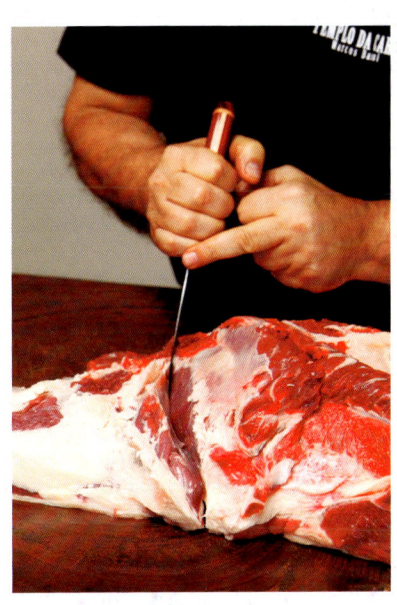

Aqui não se corta nada; só se desloca com a ponta da faca.

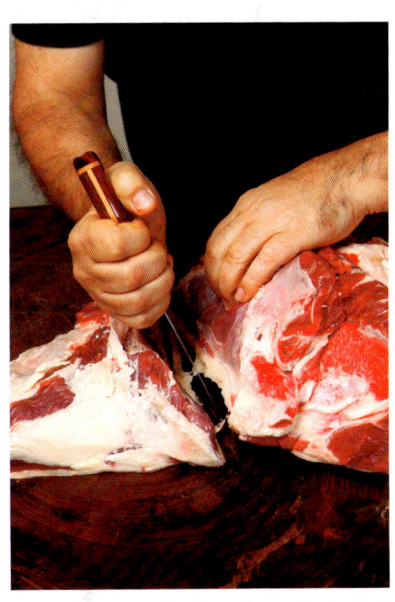

Retirada e deslocamento total da maminha.

Steak do açougueiro (rolha)

Até a década de 1980, a rolha, que, conforme eu já disse, batizei como steak do açougueiro, não era uma peça valorizada, chegando a ser vendida como retalho. Um trabalho de artesão valorizou esse corte e criou uma nova cultura alimentar para ele. É uma carne de sabor acentuado, e tão macia quanto o filé-mignon.

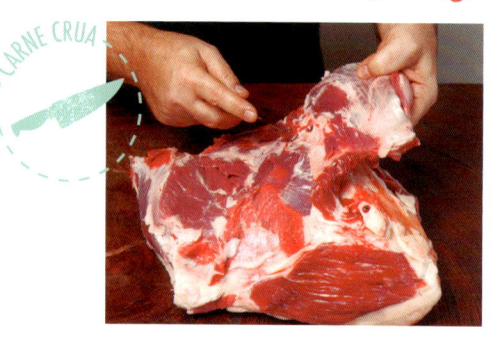

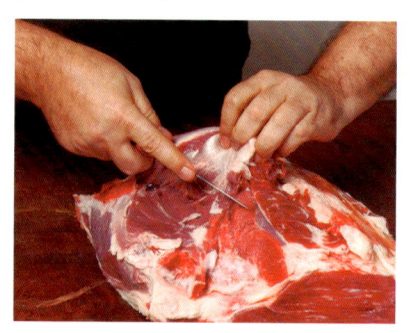

Na parte superior existe esta membrana que separa a rolha (ou steak do açougueiro) do miolo da alcatra.

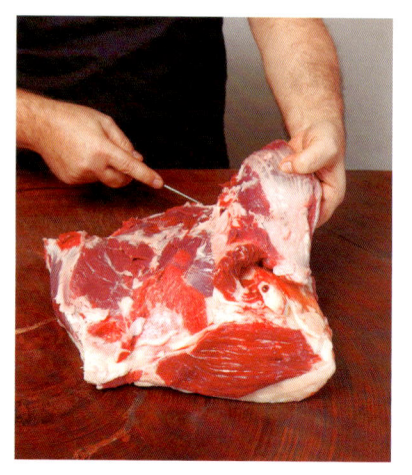

A retirada da peça é feita com a ponta da faca, sem perfurar a carne.

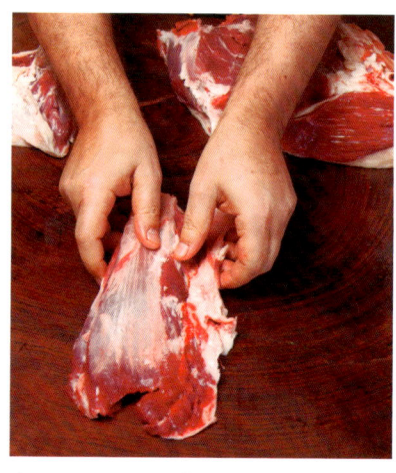

A peça completa de steak do açougueiro, com aponevrose.

Picanha

Reconhecer uma picanha de boa qualidade é simples. A peça deve ser alta, ter coloração vermelha clara, viva, e cobertura de gordura mediana, de preferência também clara. Não pode haver excessos. Há peças que trazem um pedaço de coxão duro, por exemplo, porque foram cortadas no ponto errado. O que determina a região certa do corte é a terceira veia, presente em toda picanha e fácil de ser observada (veja como localizá-la em "Descobrindo a terceira veia", p. 87). Não dispor de uma cobertura generosa de gordura é outro problema na carne, pois pode significar que o animal não foi bem alimentado. Para que não seja considerada carne de má qualidade, a picanha deve ter sido bem manipulada, não ter buracos nem aponevroses e estar devidamente limpa. A picanha não é exatamente parte da alcatra; ela é a parte inicial do coxão duro, mas que normalmente, na desossa, vem junto da alcatra.

Atenção: há um mito sobre a existência da "picanha da alcatra", mas isso não corresponde à verdade. Alcatra é uma coisa, picanha é outra. A picanha faz parte do grupo do coxão duro.

Considerando o rebanho brasileiro, o peso ideal da picanha é de 1 kg ou, no máximo, 1,100 kg. Se ela tiver menos que isso, mas sua coloração for adequada e a cobertura de gordura e altura da carne estiverem perfeitas, teremos uma boa picanha. Se tiver mais que isso, você estará levando junto outro corte com preço de picanha.

Deslocamento:

Utilize a ponta da faca para separar a gordura e as membranas.

A separação é fácil; pode ser feita com as próprias mãos.

A peça de picanha está aberta, descolada da alcatra.

Com uma faca inclinada a 70 graus, corte parte da gordura de baixo.

Operação finalizada. À direita encontra-se a picanha. Repare que não há furos na carne.

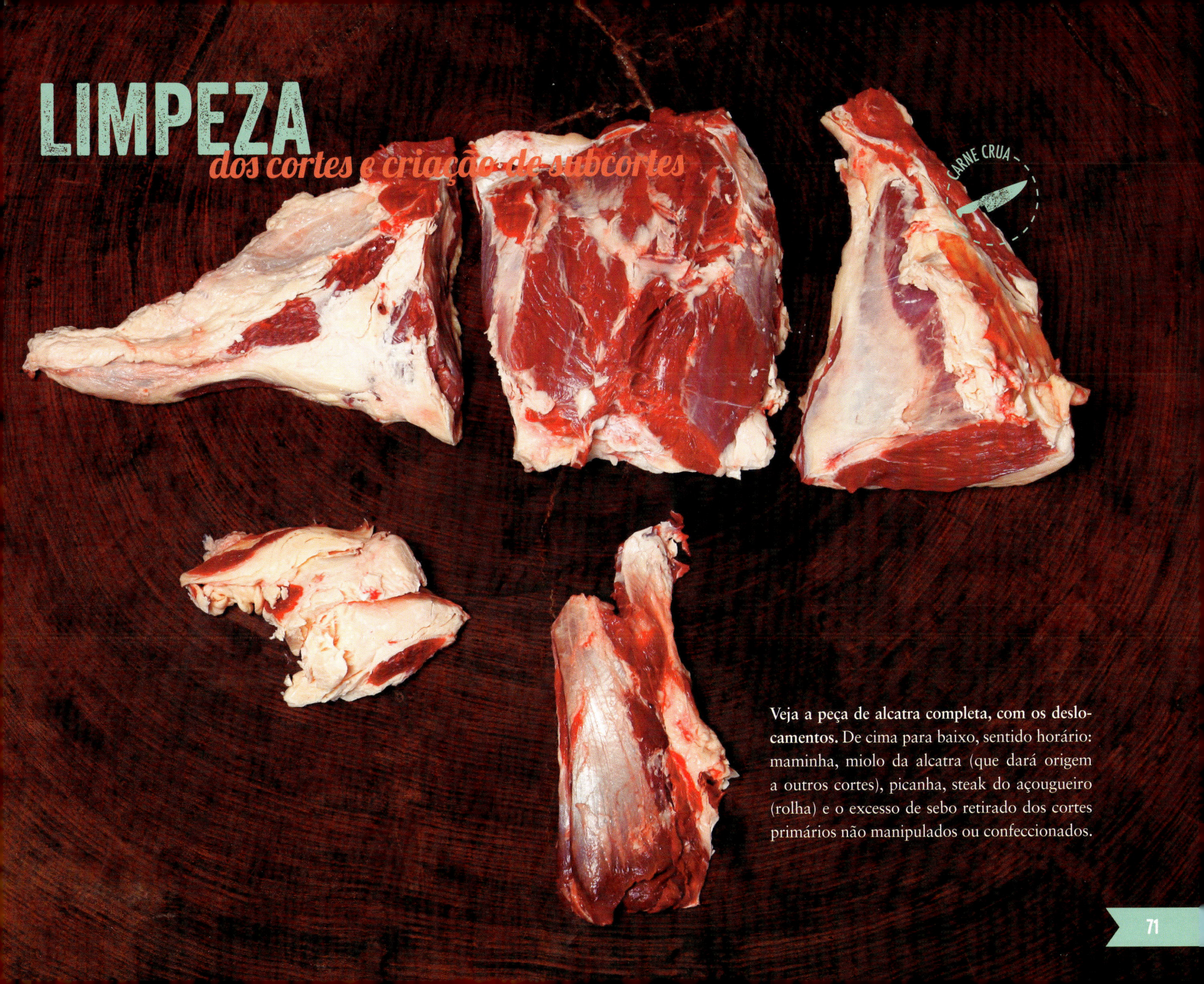

LIMPEZA
dos cortes e criação de subcortes

CARNE CRUA

Veja a peça de alcatra completa, com os deslocamentos. De cima para baixo, sentido horário: maminha, miolo da alcatra (que dará origem a outros cortes), picanha, steak do açougueiro (rolha) e o excesso de sebo retirado dos cortes primários não manipulados ou confeccionados.

Em um churrasco, podemos ter a maminha, o miolo de alcatra, o steak do açougueiro (uma parte muito nobre) e a picanha. Todo mundo sabe que a picanha é deliciosa. Mas o steak do açougueiro tem um sabor mais acentuado. Há até quem considere que lembra o gosto de fígado de boi. Trata-se de um item tão pequenininho que não chega a ser um corte de carne, mas é muito nobre. Nem todo mundo conhece essa preciosidade escondida. Por isso, é importante conversar com o açougueiro, para saber se ele tem conhecimento desse corte.

Depois de separados, é hora de manipular parte por parte. Assim, começamos com o miolo da alcatra – onde está o que muitos chamam de baby beef, termo muito usado, mas que não tem absolutamente nada a ver com a literalidade (baby beef seria a carne de bois extremamente novos). Você pode cortar o miolo da alcatra como um bife largo ou extrair os outros cortes – o bombom e o baby beef, que são divididos por um nervo. A textura de um lado é mais macia que a do outro, mas as duas são muito saborosas. A região da gordura demonstra bem o caminho a ser seguido. O trabalho deve ser feito com a ponta da faca, deslocando-a a partir do nervo. Assim nasce o nosso bombom, que também criei orgulhosamente. É espetacular, saboroso.

Há vários sabores em um só conjunto de músculos: a picanha (a rainha), o steak do açougueiro (o grande rei), a maminha, o bombom e o baby beef. O resultado é a peça inteira da alcatra. Vamos às manipulações de cada uma dessas partes.

Maminha

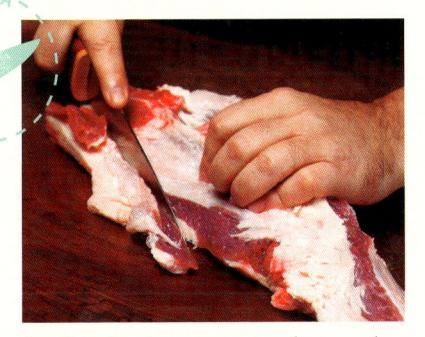

Retirada do excesso de gordura. O ideal é utilizar uma faca média, como esta, para se ter maior destreza.

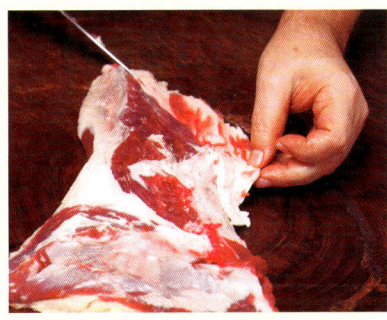

Retirada de aponevrose.

Retirada de aponevrose.

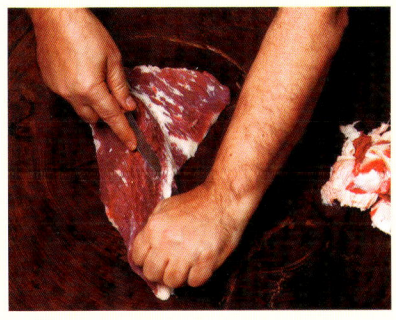

Repare que a sensibilidade no manuseio faz com que, mesmo tirando os excessos, a peça fique perfeita, sem ser retalhada e sem ter sua anatomia desconfigurada.

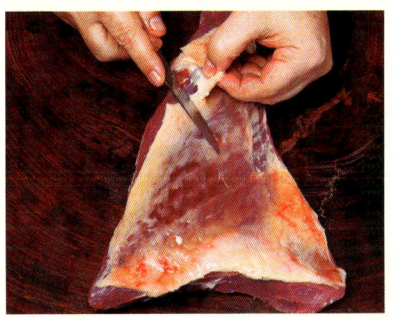

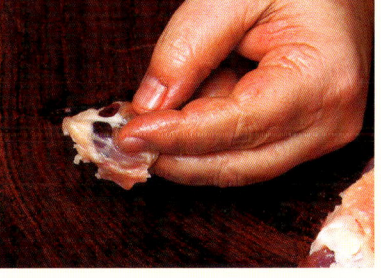

Na parte externa, deixe toda a película de gordura e retire apenas a glândula, indigesta, sem perfurar, somente superficialmente.

A maminha é uma carne de sabor delicado, mais fraco, menos intenso que o de todas as outras carnes, em razão da baixa irrigação sanguínea nessa região. Gosto de fazê-la sempre assada, a uma altura média (40 cm da brasa).

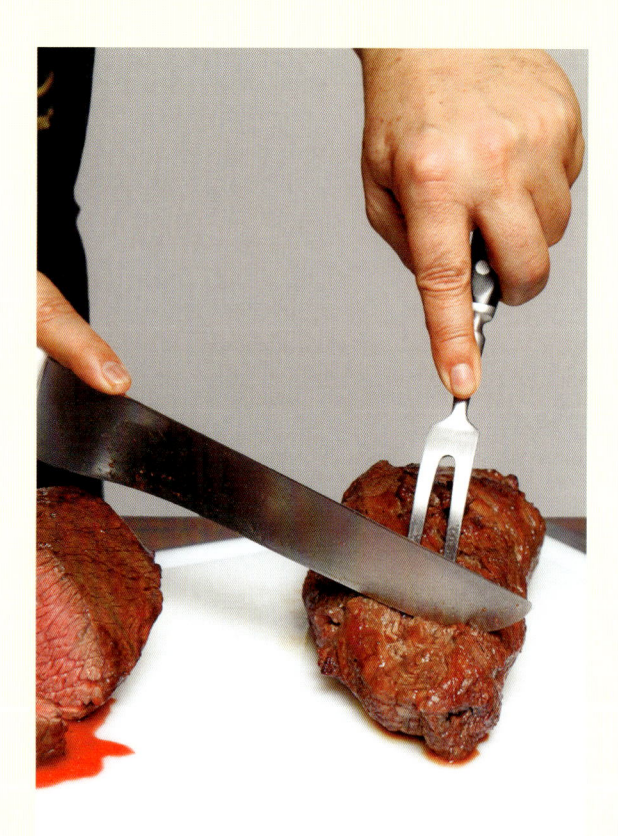

A tendência é a maminha ficar bem assada.

CARNE ASSADA

Miolo da alcatra

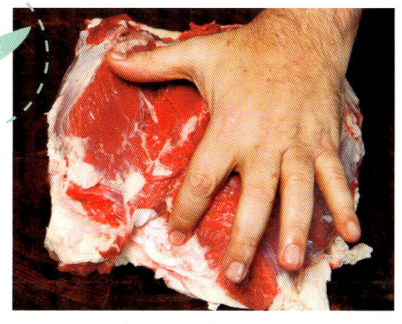

Centro do miolo, com todas as suas impurezas, nervos, aponevrose, excessos de gordura e sebo.

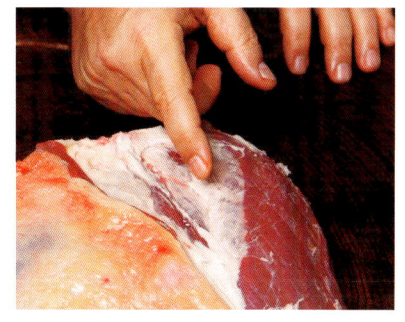

Nervo que deve ser retirado.

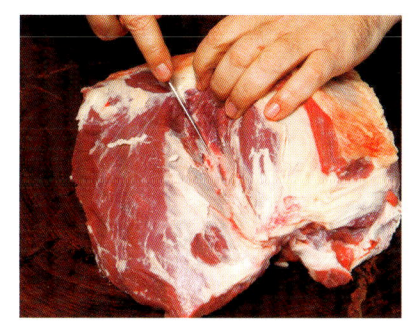

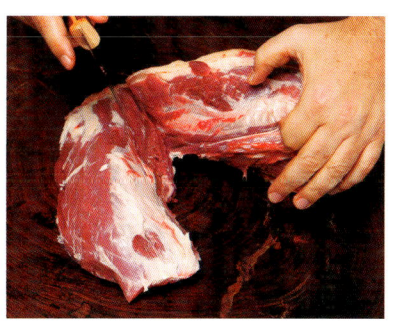

Linha externa no nervo central, que indica a separação das duas partes do miolo da alcatra.

Peça dividida: do lado direito será produzido o bombom; do esquerdo, o baby beef. Texturas e sabores diferentes na mesma peça.

Aqui estão todas as peças. Da esquerda para a direita: maminha, miolo da alcatra (duas partes – baby beef e bombom), picanha e, abaixo de tudo, steak do açougueiro (rolha) extralimpo.

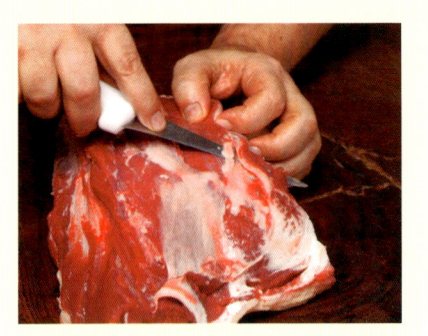

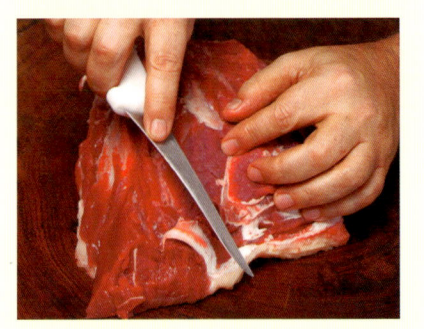

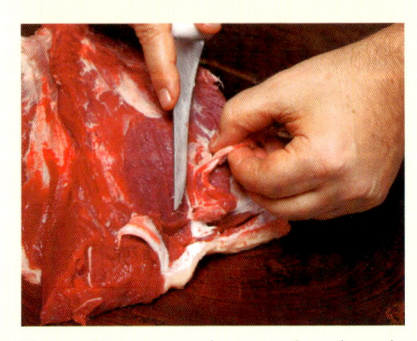

Para limpeza do miolo da alcatra, retire todas as partes brancas junto ao osso. A faca a ser utilizada tem de ser mais fina, de maneira a não agredir a carne.

Baby beef

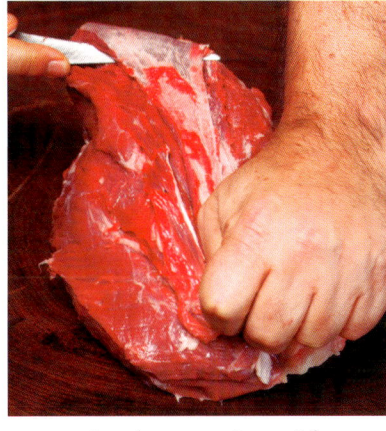
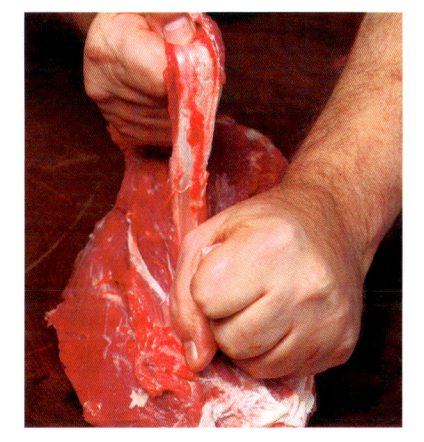

Retirada do nervo central da peça, que não deve ser ingerido.

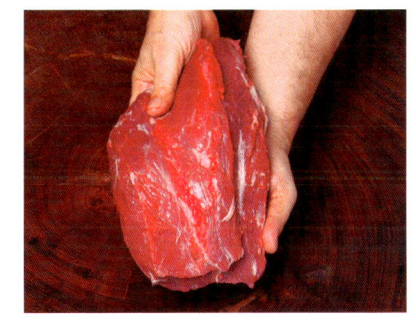

Peça totalmente beneficiada.

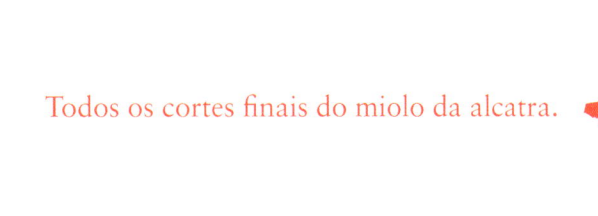

Todos os cortes finais do miolo da alcatra.

Bombom

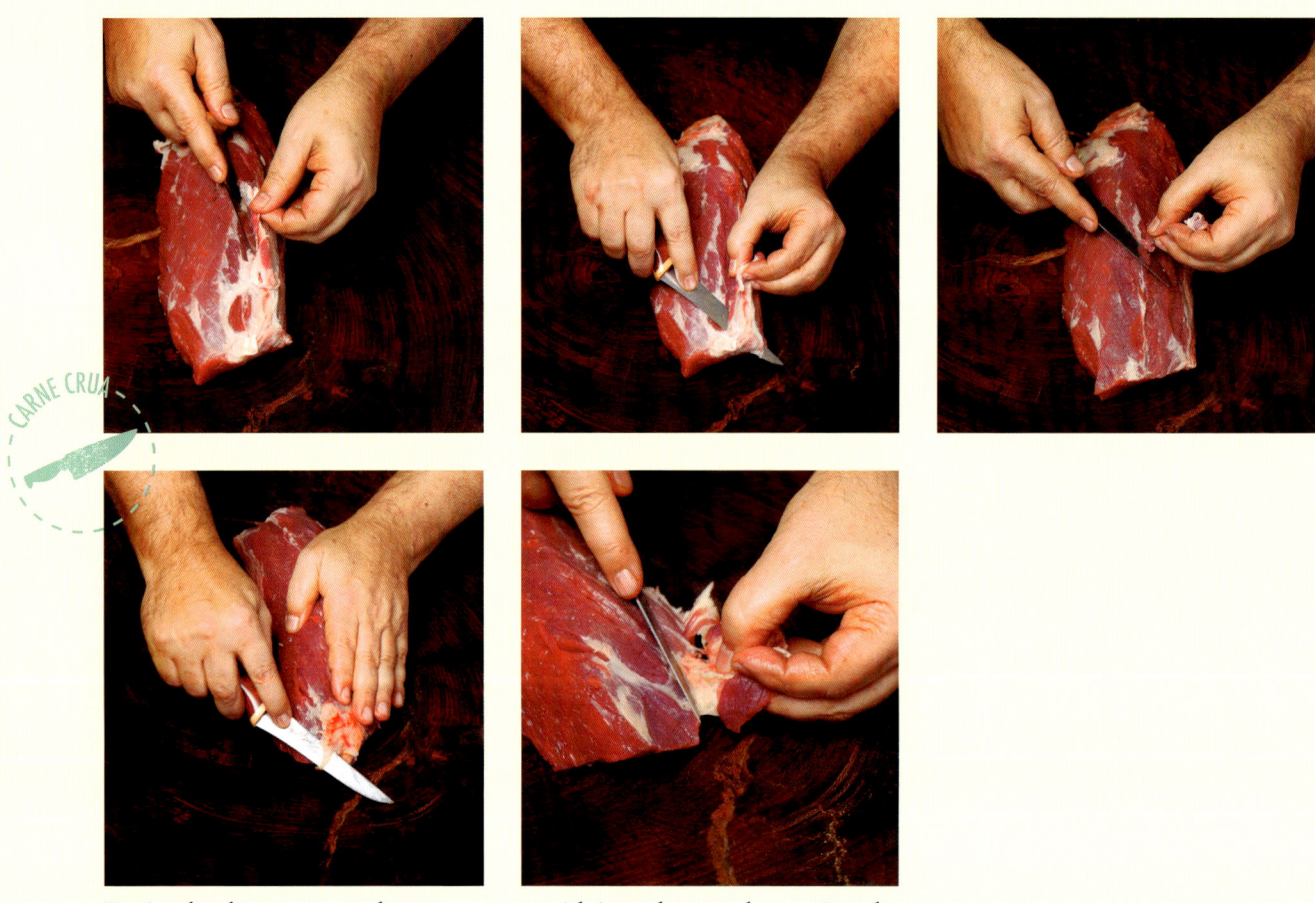

Retirada dos nervos, da aponevrose (deixando-a red meat) e da pele branca do bombom, pois não deve haver gordura nesta carne.

Marcação dos cortes, para que as porções sejam iguais. Pressione firmemente a carne com a mão oposta à da faca e execute um corte firme, com movimento de ir e vir.

Steak do açougueiro (rolha)

Trata-se de uma das menores e melhores partes. Para manipulá-la, é preciso sensibilidade. A rolha, ou steak do açougueiro, é uma das carnes mais saborosas do boi. Tem a maciez do filé-mignon, mas seu gosto é mais acentuado.

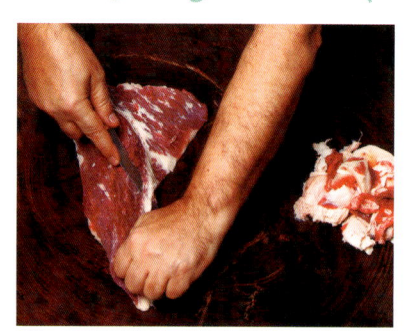

Na manipulação, retirando os excessos, que são típicos da alcatra (sebo).

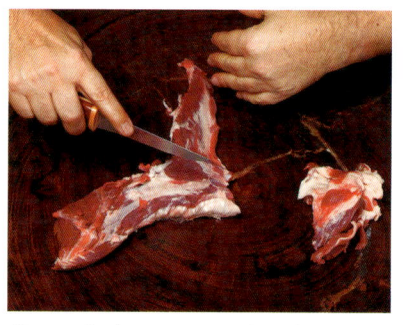

O steak do açougueiro é a parte que fica junto ao osso, a bacia do boi. Retire a carne que não pertence à rolha, que é retalho, e a gordura.

Manipulação fina; trabalhe com a ponta da faca, com leveza.

Para retirar o nervo que fica na parte de baixo, coloque a faca num ângulo de 70 graus, segure o nervo com a mão oposta à da faca e leve o centro da lâmina até a frente, descolando o nervo sem perfurar a carne.

Veja todos os cortes:

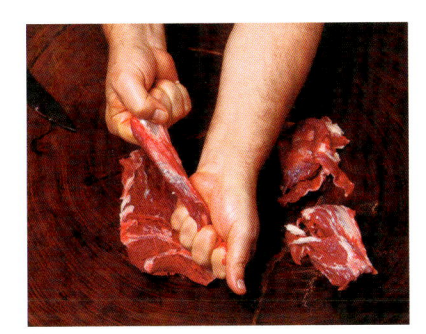

É fundamental a retirada desse nervo, pois é impossível mastigá-lo.

Retalhos e o steak do açougueiro limpo, todo vermelho, sem aponevrose ou impurezas.

À esquerda, maminha. Em seguida, ao lado direito dela, temos cinco cortes de baby beef e, abaixo deles, o steak do açougueiro (na vertical). À direita, cinco cortes de bombom. No canto superior direito, a ponta do coxão duro, separada da picanha (canto inferior esquerdo).

Salgando o baby beef, o bombom, a picanha em posta – grande rainha – e o steak do açougueiro – o grande rei.

Após todos os cortes estarem beneficiados, jogue sal por cima e pressione levemente para que a carne o absorva.

CARNE GRELHADA

Todas as peças na churrasqueira. Crescendo, tomando corpo.

Produto finalizado. A canaleta está cheia da gordura da própria carne, o melhor tempero que esta pode receber. Passe-a em cima de cada uma das peças antes de retirar da churrasqueira.

Após todos os cortes estarem beneficiados, jogue sal por cima e pressione levemente para que a carne o absorva.

Da esquerda para a direita, alcatra, bombom e picanha em posta.

Veja como a gordura passada na carne a torna mais suculenta.

Perfeito!

RECEITA
Steak à moda Bassi

Steak do açougueiro com alho, pimenta dedo-de--moça sem semente, alecrim e um pouco de sal grosso.

Coloque esses ingredientes numa panela de ferro na churrasqueira, com óleo ou azeite. Quando começar a borbulhar, mas antes de ferver, retire do fogo e abafe. Tenha a certeza de que será a carne com o tempero mais gostoso que você já comeu.

Picanha

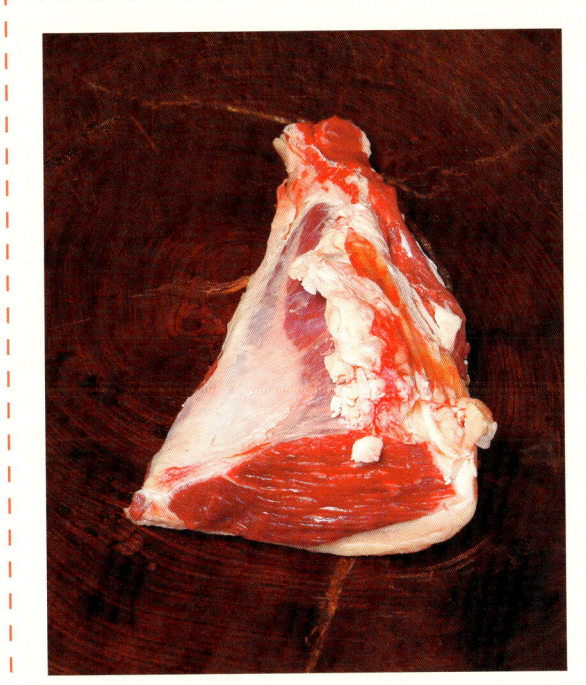

Peça do lado direito do boi, em estado bruto.

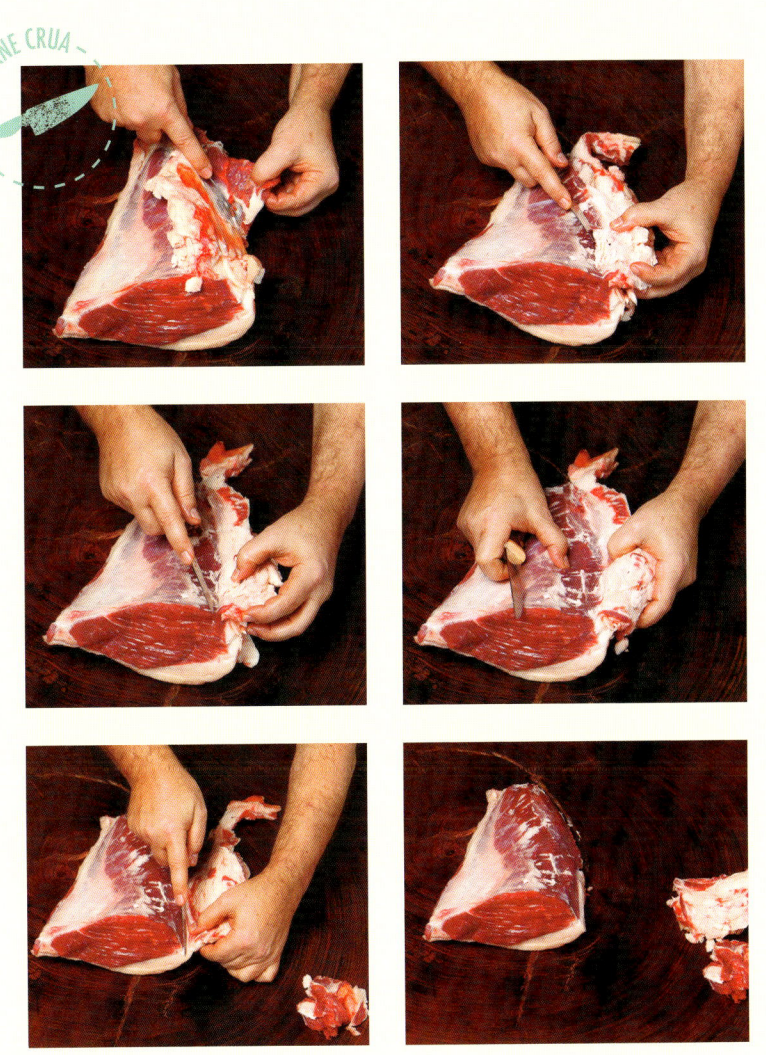

CARNE CRUA

Limpeza e retirada do excesso de nervos da lateral.

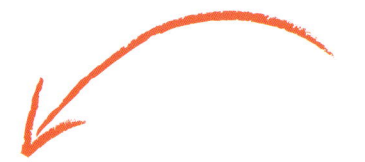

Retirada da membrana na parte superior, com bastante sensibilidade para não furar a carne.

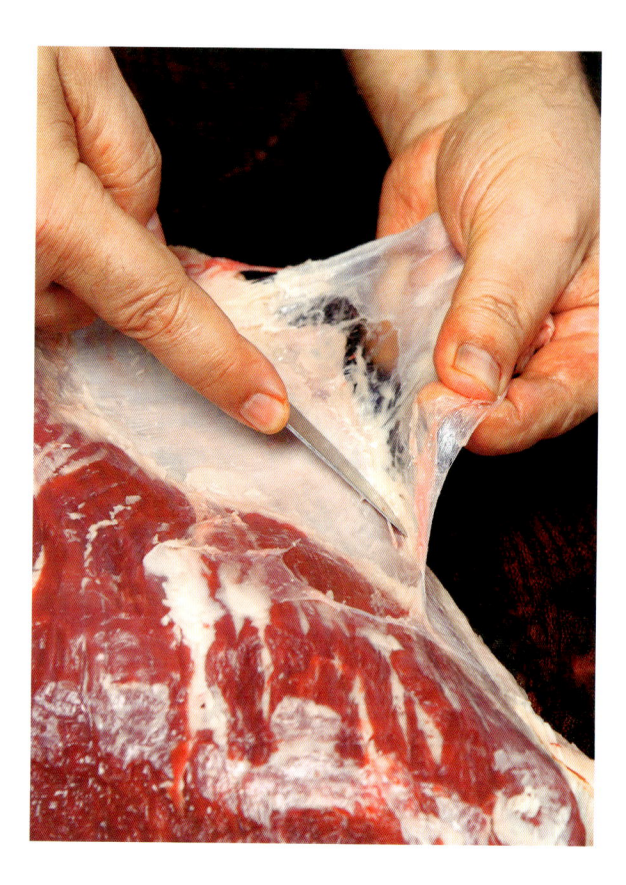

Descobrindo a terceira veia

A terceira veia é onde se separa a picanha do coxão duro, por isso é importante saber localizá-la para realizar essa divisão.

CARNE CRUA

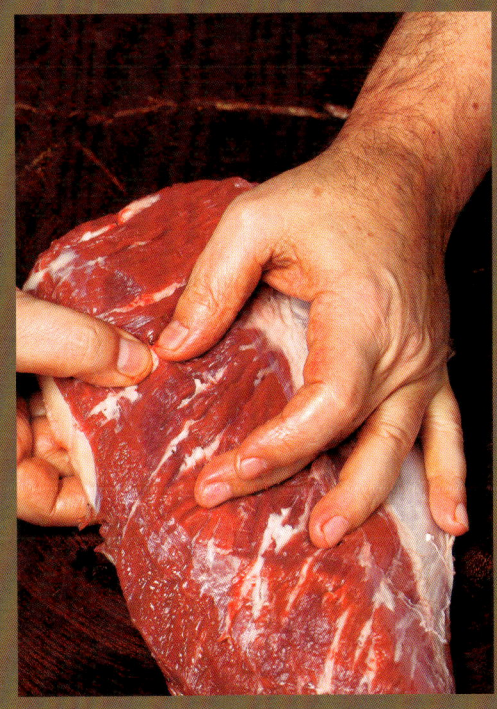

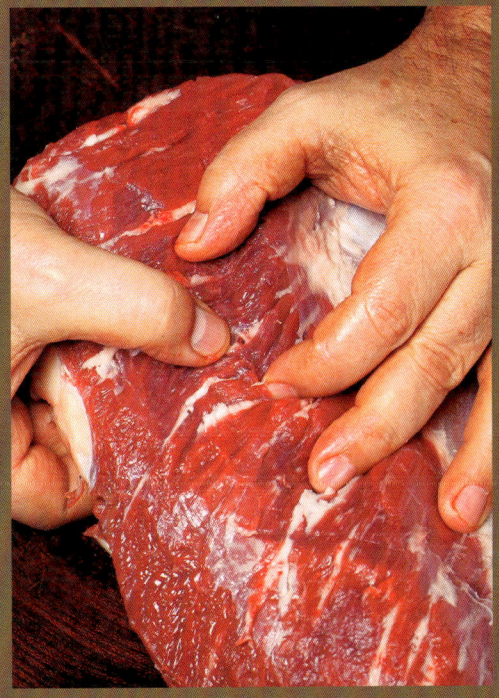

Primeiro passo: encontre a primeira veia. É só apertar bem a carne para observar o sangue brotar.

Faça o mesmo para localizar a segunda veia.

Repita o procedimento para encontrar a terceira veia.

Demarque a terceira veia.

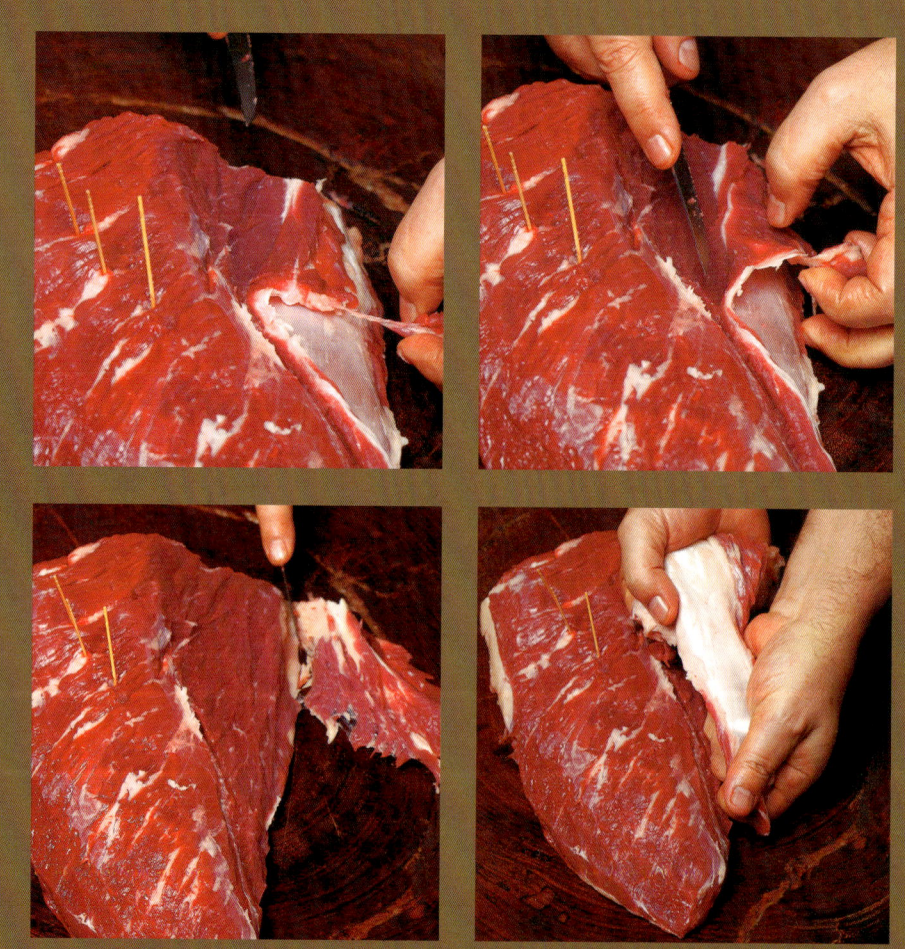

Após a demarcação, faça a retirada do nervo, que jamais deve acompanhar a picanha.

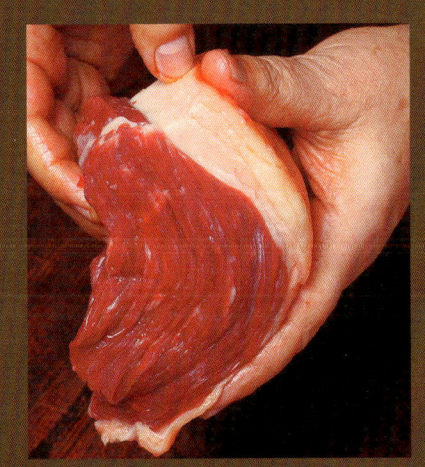

Retire a ponta do coxão duro (lembrando que a picanha é parte do coxão duro). Assim, restará só a picanha pura.

Picanha corretamente manipulada.

Perfeito!

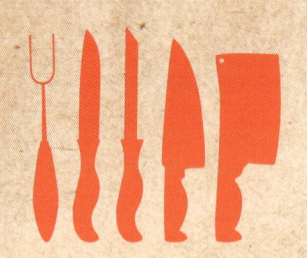

Nas peças grandes, passe a ponta da faca delicadamente na gordura antes de colocar a carne na grelha. Coloque polegar e indicador em cima de uma faca fina, de preferência a usada na desossa, e faça movimentos com cuidado para que não atinja a carne. Assim, o calor e o sal vão penetrar mais rapidamente e deixar a gordura tostada e saborosa. Para quem gosta de comer gordura, não há nada pior do que ela estar malpassada ou fria.

CARNE CRUA

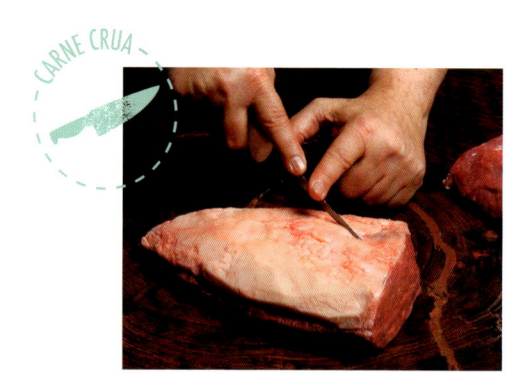

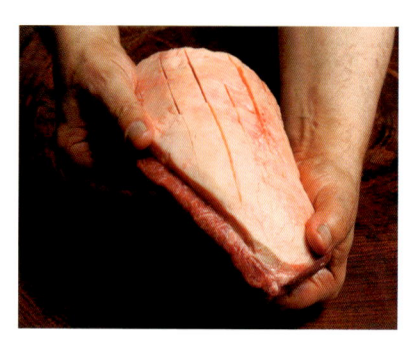

Salgando picanha e maminha.

A picanha pode ser assada em uma peça única, ou grelhada, em postas. O tamanho da peça irá determinar a forma mais adequada. Se você comprar erroneamente uma peça que contenha um coxão duro, é melhor assá-la do que grelhá-la.

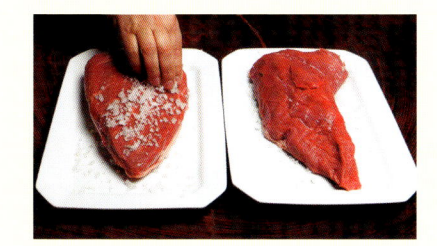

Cubra-as de sal e deixe descansar por cerca de seis ou oito minutos, no máximo.

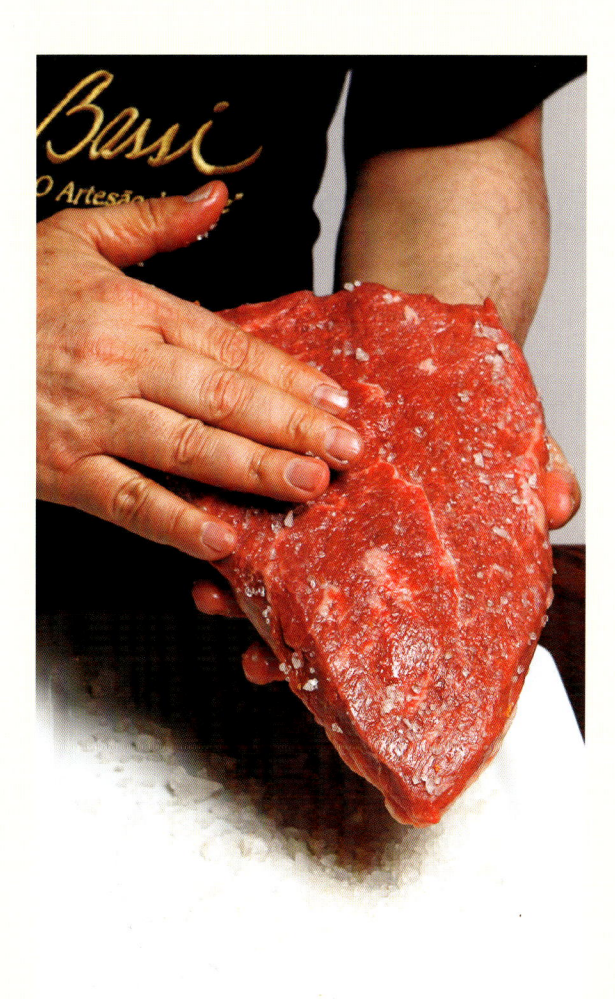

Retire o sal para então levar à churrasqueira.

Antes de colocar a picanha inteira, retire o sal, o máximo que puder. Nessa hora, uma discussão corriqueira é sobre como colocá-la na churrasqueira: com a gordura para baixo ou para cima. Coloque sempre inicialmente com a gordura para cima. Assim deve ficar assando por aproximadamente 40 ou 45 minutos. O mais importante é observá-la tomar corpo, inchar. Ao começar a crescer, é hora de virar a gordura para o lado de baixo, posição em que deverá ficar por 10 a 15 minutos (tempo suficiente para ela ficar bem douradinha).

CARNE ASSADA

A grelha deve estar quente. Nunca esqueça de testar a temperatura contando até cinco (ver boxe da p. 46). As peças maiores devem ser colocadas no fundo, porque ali há mais calor. As partes menores ficam à frente.

Como a picanha demora mais de uma hora para ficar pronta, você pode colocá-la na brasa junto com as entradas, a 40 cm de altura; num primeiro momento, carne para baixo e gordura para cima.

Quando a carne tomar corpo, o ideal é virá-la, exibindo a parte mais dourada. É quando ela começa a expulsar o sangue, o suco da carne, para a parte superior. Nesse momento, pegue a gordura reservada na canaleta – a gordura da própria picanha – e passe-a em cima da carne. Assim, ela fica mais saborosa. Dentro de 6 ou 8 minutos, já estará pronta. Se alguém quiser bem passada, é só cortar uma fatia mais fina. Em minha opinião, o ideal é de ao ponto para malpassada. Em fatias, fica um perfeito rosbife.

A picanha tomou corpo, inchou, cresceu; sua gordura dourou-se. Observe a importância da cinza no braseiro: apesar de ter pingado gordura, não se formou labareda. O carvão ao lado é colocado aos poucos, para manter a intensidade do calor.

Aperte na parte superior para observar o ponto da carne (veja o ponto da carne no boxe-dica da página 47. O ideal é estar de ao ponto para malpassada, mas, caso alguém prefira bem passada, basta colocar rapidamente a 15 cm da brasa, para que ela fique bem passada.

Ao cortar, observe como a picanha ficou suculenta e úmida.

Perfeito!

ATENÇÃO: costuma-se chamar a pontinha da picanha de nobre, o que é um equívoco. Nobre é uma denominação que criei apenas para as carnes selecionadas. Por isso, quando alguém que estiver servindo, principalmente em um restaurante, disser que tem uma picanha nobre com alho, com bastante alho, não coma. Isso é um apanhado de pontinhas que foi deixado de lado e que perdeu o suco. O alho é utilizado para tirar o odor de carne velha. Se quiser carne com um pouco de alho, peça que tragam uma porção à parte.

Gosta de carne de ao ponto para malpassada? Quando o suco da carne na grelha começa a migrar para a parte superior, é hora de virar a carne; ao migrar novamente, é o momento de começar a tirar a carne.

REGIÃO DO CONTRAFILÉ

Contrafilé bruto

O contrafilé é uma peça grande, da qual se podem separar três cortes e diversos subcortes. Em razão da irrigação sanguínea de cada região e dos movimentos musculares do boi, cada uma dessas partes é caracterizada por uma textura, maciez e sabor diferentes. Em linhas gerais, a partir de uma peça bruta, podemos separar a parte da bisteca (ou prime rib), que fica numa ponta; a parte do meio, que é o centro do contrafilé; e a da outra extremidade, que pode ser acompanhada ou não de filé-mignon, dando, assim, origem a vários subcortes.

CARNE CRUA

Parte externa. Esta é uma peça de contrafilé bruto, com osso, ou seja, da maneira como se extrai do boi. Aqui ainda não houve tratamento de beneficiamento nem cortes ou subcortes.

Parte interna. Junto do contrafilé com osso, duas grandes iguarias: uma é o já tradicional filé-mignon, a parte maior (à direita); a outra, descoberta nos tempos modernos, é a segunda carne mais consumida no churrasco: a magnífica fraldinha.

No canto inferior esquerdo, fraldinha; no superior direito, cabeça de filé-mignon; no centro, contrafilé com filé-mignon e osso, que faz o t-bone, e centro do contrafilé; no canto inferior direito, início do contrafilé, do qual se faz a bisteca (o corte com osso); no canto superior direito, a capa de filé.

Conjunto do contrafilé com osso:

No canto inferior esquerdo, duas peças de bisteca fiorentina (que é a parte frontal do contrafilé com osso, composta por pedaço da alcatra, contrafilé e filé-mignon); acima, à esquerda, quatro peças de t-bone, que têm o seu osso em "T" dividindo contrafilé e filé-mignon; no centro, o contrafilé central ou entrecôte (na França). Do lado direito, a bisteca do contrafilé (Brasil) ou prime rib (EUA) ou chuleton (Espanha).

Bisteca fiorentina

CARNE CRUA

A bisteca fiorentina une alcatra, contrafilé e filé--mignon, como se pode observar nas figuras seguintes.

Salgando.

Faça uma pequena incisão ao lado do osso, para o sal (grosso e triturado) penetrar.

Salgando a bisteca fiorentina.

Para a bisteca e o t-bone, repita o mesmo procedimento na hora de salgar. Já no bife ancho e na bisteca do contrafilé não deve haver incisão.

CARNE GRELHADA

Bisteca fiorentina, a primeira no fundo da churrasqueira; do lado direito, o t-bone; do lado esquerdo, a bisteca com contrafilé; e, na frente, o bife de chouriço.

A carne tomou corpo, cresceu, já formou uma crosta e está expulsando o suco pela parte superior.

Logo, é o momento de virá-la.

Use a própria gordura da canaleta para umedecer e dar sabor à carne.

Em sentido horário: bisteca fiorentina, t-bone, bisteca do contrafilé e bife de chouriço.

t-bone

Conjunto do contrafilé com osso:

CARNE CRUA

Parte externa do contrafilé já desossado.

Contrafilé desossado, parte interna.

A peça foi dividida em quatro pedaços (da esquerda para a direita): início do contrafilé com a capa de filé (até a quinta vértebra); depois, confecciona-se o bife ancho; na sequência, o entrecôte (sem gordura), que é o centro do contrafilé; e por último o bife de chouriço. Não deixam de ser todos contrafilés, mas variam-se os nomes de acordo com a cultura alimentar de cada país e com a posição de cada um na peça de contrafilé.

Capa de filé

Na parte dianteira do boi, sob uma capa, na parte superior da peça de contrafilé, está essa outra variedade da carne. Basta puxar essa capa e ela se destaca com a mão; nem é necessário utilizar a faca. A chamada capa de filé é uma das melhores e mais utilizadas carnes para fazer um bom cozido. Mas, ao comprá-la, peça a parte mais macia, que é essa da frente, demarcada pelas primeiras costelas. É curioso que muita gente não goste da parte dianteira do contrafilé, que é justamente a mais macia.

Contrafilé central ou entrecôte

Esta parte nada mais é do que o corte
do contrafilé central sem a gordura.

Bife de chouriço

Do centro do contrafilé, logo depois do entrecôte, fazemos o bife de chouriço, que tem uma camada de gordura em altura suficiente para ser grelhada. É similar ao entrecôte, mas, diferentemente dele, deve conter gordura.

Olho de bife

Não tem mais história: hoje se sabe que a parte dianteira do nosso contrafilé é chamada de olho de bife na Argentina. Quando está com osso, é a nossa bisteca. Quando é vendida na Itália, com o osso, incluindo pedaço de alcatra, contrafilé e filé-mignon – uma iguaria –, chama-se bisteca fiorentina.

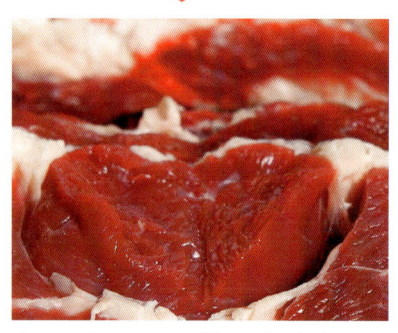

O verdadeiro olho de bife, no seu detalhe, composto pelas duas carnes laterais abertas, como uma borboleta; o "olho" fica no centro.

Coloque apenas uma película de sal.

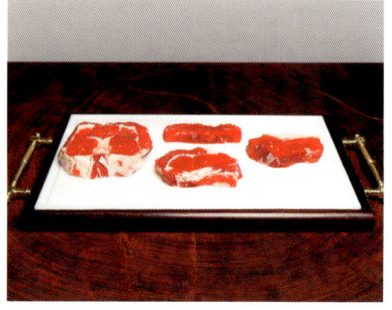

À esquerda, o olho de bife; no centro superior, o entrecôte; no centro inferior, o bife ancho; à direita, o bife de chouriço. Cortes da mesma peça do contrafilé.

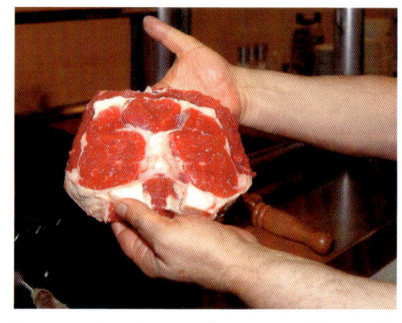

Levando à grelha o olho de bife.

Observe que a carne, como as demais, tomou corpo, cresceu, começou a expulsar o suco pela parte superior. É o momento de virar a carne.

Todas as peças assadas. À esquerda, olho de bife; no centro superior, entrecôte; à direita, bife de chouriço e no centro inferior, bife ancho.

Detalhes do olho de bife.

Bananinha

Trata-se de um pequeno pedaço entre o osso do contrafilé e o contrafilé. De sabor ímpar, é própria para fazer espeto. Costumava-se dizer ser carne de segunda qualidade, por ser muito barata. Depois, descobriu-se ser uma das mais saborosas que existe no boi, e seu mercado vem crescendo de forma acentuada no Brasil.

Limpeza da bananinha.

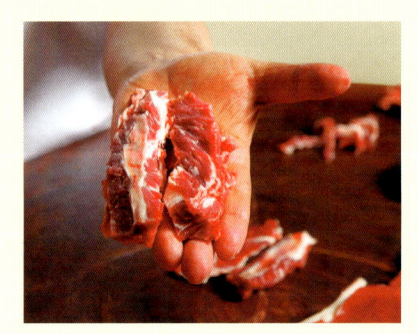

Bananinha confeccionada.

Veja todos os cortes do contrafilé

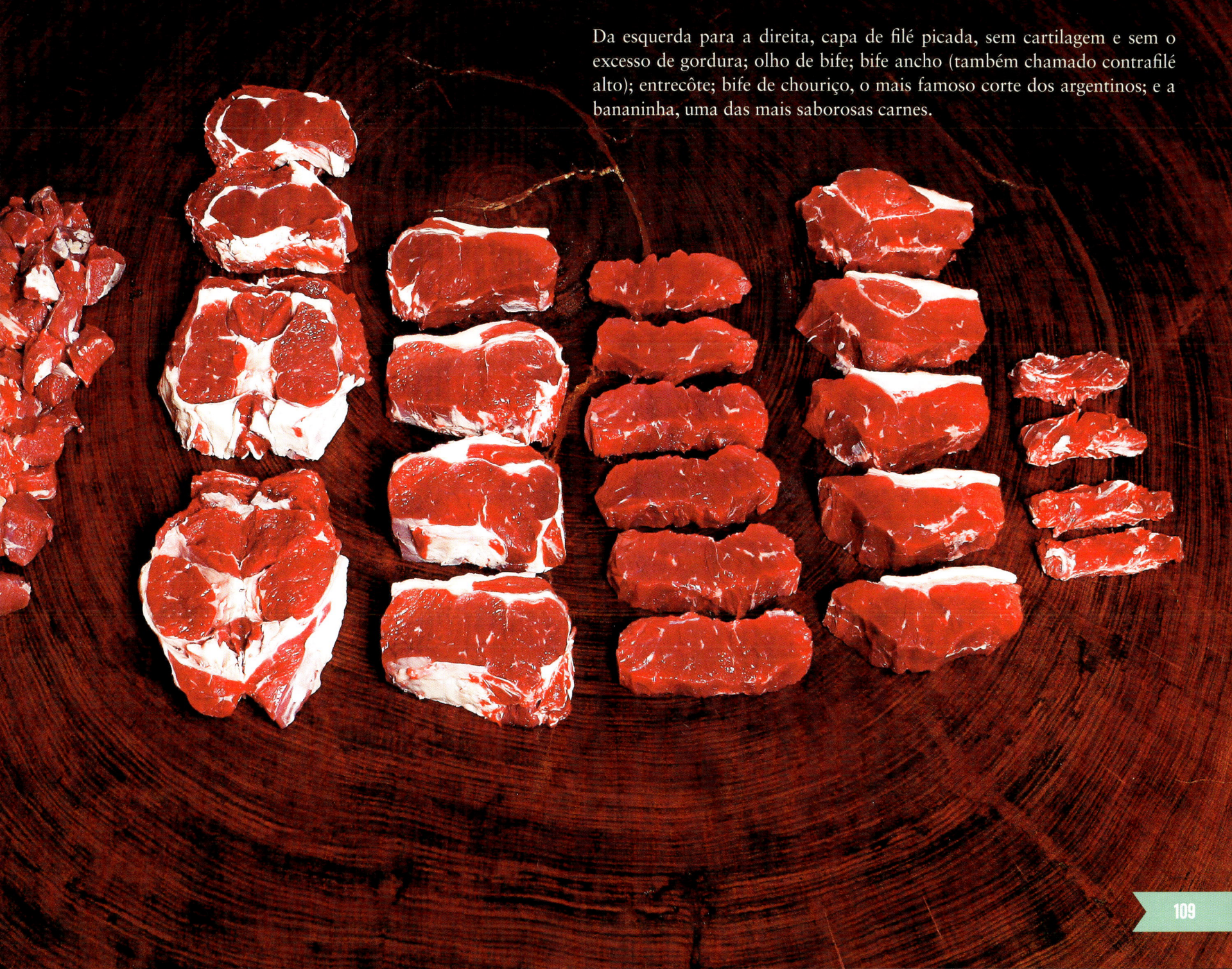

Da esquerda para a direita, capa de filé picada, sem cartilagem e sem o excesso de gordura; olho de bife; bife ancho (também chamado contrafilé alto); entrecôte; bife de chouriço, o mais famoso corte dos argentinos; e a bananinha, uma das mais saborosas carnes.

Fraldinha

Uma das carnes mais saborosas, a fraldinha não era tão requisitada antigamente como é hoje.

Há mais de trinta anos, quando começamos a falar de fraldinha, essa peça era considerada de segunda qualidade. E na França, onde ela se chama *bavette*, já era uma carne cara. Em meados da década de 1980, começamos a processar a fraldinha e demos um padrão para ela. Trata-se de um músculo, mas é uma carne esparsa, que se abre. Possui cobertura de gordura, em um único pedaço, que não deve ser deixado junto à peça. A fraldinha é um pedaço localizado na parte interna do boi, ao lado do filé-mignon, na ponta de agulha.

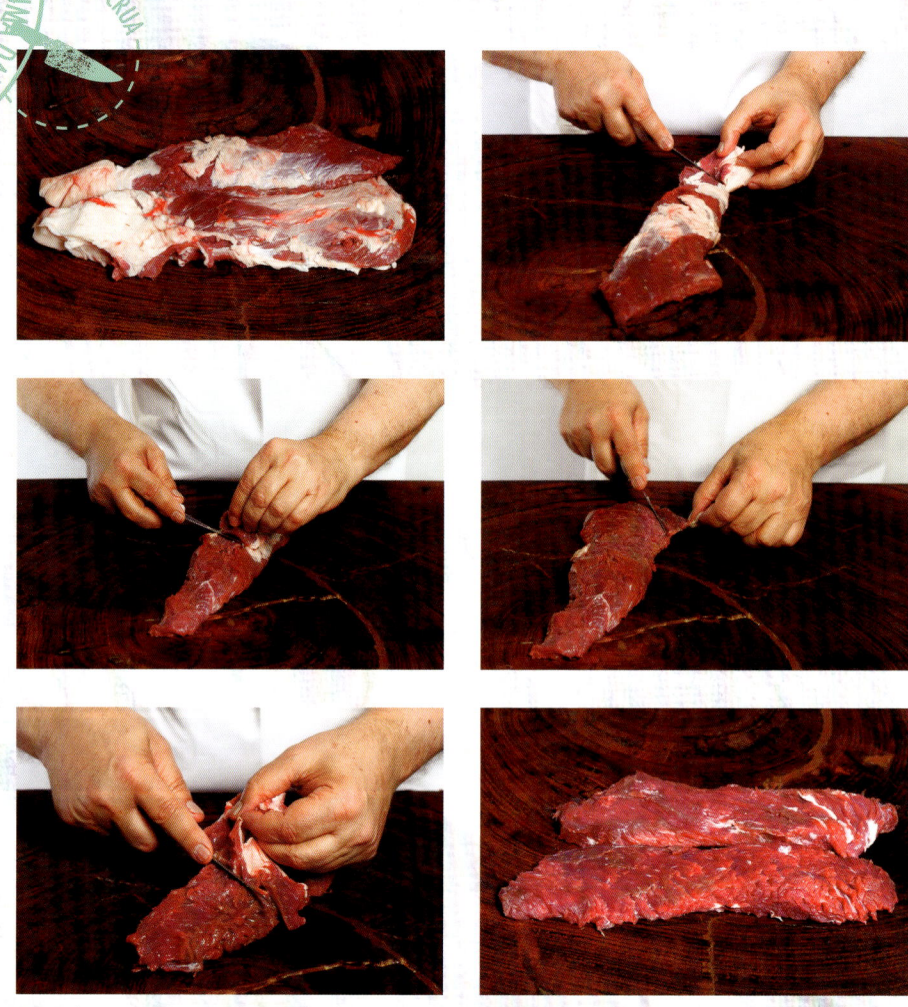

Confecção da fraldinha. Retirando toda a gordura e a membrana, a peça fica com um vermelho acentuado ou, como diz o norte-americano, red meat.

O recurso do espeto para a fraldinha só a favorece, só a torna melhor. Um detalhe importante: devemos colocar a fraldinha antecipadamente, por mais ou menos 4 minutos, na parte inferior da churrasqueira, a 15 cm do fogo, para que ela sele um pouco (doure). Após deixá-la 4 minutinhos de um lado, vire e deixe 4 minutinhos do outro. Quando ela começa a tomar corpo, a inchar, é o momento de subir a 40 cm da brasa, na parte superior da churrasqueira, onde deve permanecer de 40 a 45 minutos.

O espeto é importante na fraldinha, mas não se iniba em usá-lo numa picanha – nunca na picanha em posta, mas sim na peça inteira. Ao contrário do que se pensa, o espeto não faz escorrer o sangue, secando a carne. Isso é lenda.

Esta carne precisa do recurso do espeto, para ficar benfeita. Compacte-a bem, formando um bloco fechado.

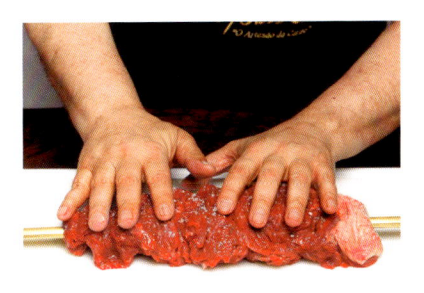

Pressione com as mãos para melhor absorção.

Coloque sal triturado, do mais fino, em pequenas porções, de um lado e de outro.

CARNE ASSADA

Selar a carne significa colocá-la próximo ao fogo, por pouco tempo, para que ela fique levemente dourada.

No primeiro momento, coloque-a a 15 cm ou 20 cm da brasa; perceba que a brasa está coberta de cinza.

Para selar, 4 minutos de um lado, 4 do outro.

A peça inchou, tomou corpo, cresceu, ou seja, está maior e mais alta no espeto. Isso é sinal de que já está assada por dentro, isto é, está de ao ponto para malpassada.

Perfeito!

Retire o excesso de sal com um pincel umedecido com óleo de cozinha neutro e leve a 40 cm da brasa por mais 20 minutos de cada lado.

Corte a carne no sentido longitudinal.

FILÉ-MIGNON
Filé-mignon bruto

CARNE CRUA

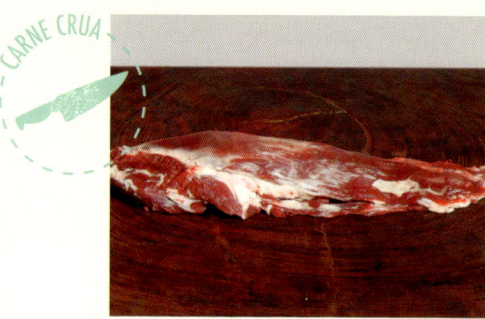

Lado interno.

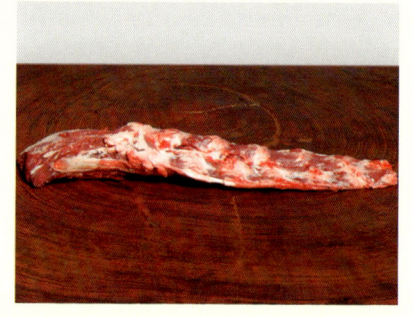

Parte que fica junto ao osso.

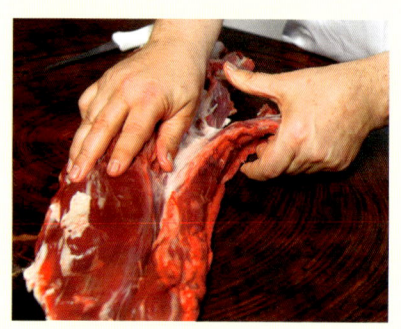

Retirada do cordão do filé--mignon.

Retirada do excesso de gor-dura.

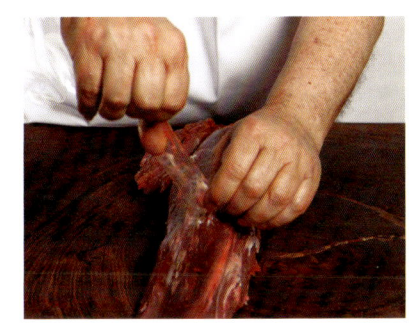

Retirada da membrana.

Peça limpa, sem aponevrose, sem membrana e sem cordão, pronta para ser confeccionada.

Retire a membrana superior.

Corte em medalhões.

Veja todos os cortes do filé-mignon:

Confecção total do filé-mignon. Da esquerda para a direita: sobras de corte e cordão de filé-mignon, limpos, prontos para uso (cozimento na panela, na frigideira ou em espetinhos); cabeça do filé-mignon (especial para churrasqueira); o centro do filé-mignon em medalhões (todos do meio); e, por último, sua ponta, própria para um brochete (espetinho).

Cabeça do filé-mignon, própria para assar no fogo. Todo filé-mignon na churrasqueira deve ser feito no fogo, não na brasa, para não se ressecar.

Medalhões em detalhes.

Muita gente diz que filé-mignon não fica bom no churrasco. Não é verdade. Criou-se um preconceito de que ele é uma carne cara, por ser chamada "de primeira qualidade", e também de que esse corte não tem nada a ver com churrasco. Em minha opinião, são duas meias-verdades. Existe um contrassenso muito grande.

O motivo desse julgamento está relacionado à nossa cultura alimentar. Um pedaço de músculo de boi, por exemplo, não significa necessariamente carne de segunda qualidade. Na Itália existe um prato chamado ossobuco, composto pelo músculo da canela do boi com osso e tutano, que é bem mais caro que o filé-mignon. Já no Brasil o músculo é considerado carne de segunda.

Um filé-mignon de qualidade é uma boa peça para fazer um churrasco, em especial em espetinhos e para quem gosta de carne malpassada. Basta tirar o nervo superior, que é difícil de mastigar. É bom deixar com um pouco de gordura, para ele não ressecar. A melhor parte para levar à churrasqueira é o centro do filé-mignon, porque é mais alta. Com a parte dianteira, você pode fazer um espetinho ou talvez um estrogonofe, que, claro, não pertence à churrasqueira. E a parte traseira você pode assar ou, se preferir, seguindo até a cabeça do filé-mignon, pode fazer o famoso châteaubriand (prato feito da parte mais espessa do filé-mignon) com molhos. Na churrasqueira, o ideal é fazer um bom filé-mignon grelhado.

O filé-mignon é uma carne sensível, que precisa de um calor muito forte. O "1, 2, 3, 4, 5", que se utiliza para saber o ponto da carne, não vale para o filé-mignon. Se você conseguir aguentar o calor apenas até "quatro", ou seja, se a intensidade de calor for forte, você vai comer um filé-mignon suculento. Trata-se de uma das carnes que você tem de comer bem malpassada. Ou, se possível, de malpassada para ao ponto; nunca entre ao ponto e bem passada.

Coloque as partes maiores do filé-mignon sempre no fundo da churrasqueira, apertando um pouquinho a carne com a mão para que fique firme na churrasqueira (quase que selada junto à grelha). As partes menores podem ficar um pouquinho mais à frente na churrasqueira.

Certamente, seguindo essas dicas, você vai ter um filé-mignon saboroso. E ninguém mais vai dizer que filé-mignon não é saboroso em um churrasco. As partes mais fininhas de qualquer carne, não só do filé-mignon, são mais apropriadas para os que gostam de comê-las mais bem passadas. Nunca coloque uma porção muito alta e tente fazê-la bem passada, pois ela não vai ficar boa – vai secar demais por fora antes de ficar bem passada por dentro.

O procedimento para grelhar é sempre o mesmo: com a base de sal mais fino (que é o sal grosso triturado), colocada no prato, e mais sal aplicado na parte superior, porém sempre com parcimônia.

Observe que a quantidade de sal é muito pequena.

Friccione com os dedos para formar a película de sal.

Atenção: ao adquirir uma carne embalada a vácuo, verifique se consta o selo do SIF, que é um registro de garantia de procedência e qualidade. Sangue em excesso dentro da embalagem a vácuo é sinal de que a carne não está boa, porque significa que ela está perdendo o suco, ressecando-se e, portanto, não terá sabor.

Maturação

As peças, ao serem embaladas, passam por um processo de maturação, que consiste em colocar a carne em embalagem a vácuo e deixá-la ali, repousando, por 21 a 25 dias, de acordo com o tipo de peça (para o filé-mignon há um tempo, para o contrafilé há outro, etc.). O tempo necessário para a picanha é em torno de 23 dias, podendo chegar, no máximo, a 28 dias. Durante o período em que essas peças ficam numa câmara frigorífica, as próprias enzimas da carne vão corroer os tecidos conjuntivos, deixando-a mais macia. Só as carnes que já são de boa qualidade podem sofrer maturação; do contrário, não ficam boas.

CARNE GRELHADA

Colocando a carne na grelha, a aproximadamente 15 a 20 cm do fogo. Veja que não se trata apenas de brasa, mas de fogo. O filé-mignon precisa de uma intensidade maior de calor para formar a crosta que o deixa saboroso. O churrasco de filé-mignon fica delicioso.

Quando se formar uma crosta bem consistente, bem acentuada, é o momento de virá-lo.

Já no prato, acrescente um pouco de pimenta moída na hora.

Perfeito!

PARA APURAR O APETITE

Aperitivos

APERITIVOS
A medida das entradas

Como começar o churrasco? Com muita ou pouca entrada? Em minha opinião, é melhor pouca, pois assim os convidados ficam com mais fome, e o apetite apurado tende a deixar o que já é bom ainda melhor.

Apesar de os aperitivos serem servidos antes do churrasco propriamente dito, eles não requerem delongas no preparo nem grandes habilidades. Sendo assim, o preparo deles pode começar após o das carnes principais.

Linguiça

Gosto de incluir nas entradas um pouco de linguiça de frango. Linguiça aperitivo é um pouco difícil de achar no Brasil inteiro, mas é uma delícia! Não recomendo, no entanto, linguiças de sangue, porque às vezes esses produtos não têm a certificação do Serviço de Inspeção Federal (SIF). O mesmo ocorre com as linguiças caseiras, por isso não se arrisque a oferecê-las. Outras opções são linguiça de lombo, linguiça toscana e linguiça calabresa.

Como colocamos a linguiça para assar? Jamais a furamos. Íntegra, ela cria corpo e incha. Quando estiver douradinha, é o momento de tirá-la. Se furar a linguiça, ela perderá a gordura de seu interior e ressecará.

CARNE ASSADA

A altura ideal é a 40 cm da brasa, pois a linguiça deve ser assada, não grelhada; nunca a fure, para que não perca a umidade nem resseque.

Repare que a linguiça está bem cozida, bem assada e úmida; não está seca, porque não foi furada.

Costelinha

A costelinha de suíno precisa ser preparada com antecedência. O ideal é usar o sal médio, e não o mais grosso (ver seção "Salgar" na p. 64). É lógico que, se você quiser, pode temperá-la, porque a costelinha, principalmente de suíno, permite o uso de outros condimentos. Prefiro somente com sal (sempre com pouco, nunca em demasia). A costelinha é a primeira que entra na churrasqueira.

Antes de levá-la para a brasa, deixe-a à beira da churrasqueira para que ela fique à temperatura ambiente, não entre na grelha muito fria e vá absorvendo o sal.

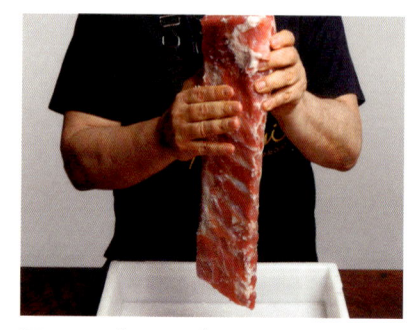

Use sal médio; depois de 10 minutos na temperatura ambiente, retire todo o sal.

CARNE ASSADA

As costelinhas são colocadas, com os ossos virados para baixo, a 40 cm da brasa. Atente ao detalhe: a brasa está com cinzas do churrasco anterior, fazendo que, ao pingar gordura, não se levantem labaredas e se mantenha o calor.

Bom Apetite!

Carré de cordeiro

É, de fato, uma iguaria. Não é em todo o país que conseguimos encontrar o carré de cordeiro. É uma carne simples de cortar, não precisa fazer força. Depois de cortado, assim como fizemos com a costelinha, convém deixá-lo ao lado da churrasqueira para pegar a temperatura ambiente. Em seguida, colocar o sal grosso, porém o de grãos menores, mais triturado, muito delicadamente (ver seção "Salgar" na p. 64). Não são necessárias grandes quantidades. O carré de cordeiro tem um sabor mais adocicado que a carne de boi. É muito saboroso. Há tempos é usado nas cozinhas francesa e italiana, por questão de cultura alimentar. E hoje, no Brasil, o cordeiro está se desenvolvendo muito. O ideal é que ele vá para a churrasqueira para grelhar, a uma altura de 15 cm da brasa.

É importante deixar a grelha no fogo ou na brasa pegando um forte calor. Ela tem de estar sempre quente para que a carne não cozinhe. Quando quiser assar uma peça inteira, adote o mesmo procedimento da costelinha: deixe-a na parte superior, com os ossos virados para baixo. No momento em que essa parte dourar, vire-a para o outro lado. Grelhando, percebe-se que a carne começa a tomar corpo, a inchar e mudar de coloração. Quando dourar, é só virá-la. Isso deve demorar mais ou menos de 5 a 6 minutos. O momento de virar é sempre muito importante, porque requer um instrumento, de preferência uma pinça. Jamais fure a carne com um garfo para não ressecá-la. Quando o suco começa a aparecer na parte superior, é o momento de tirar. Isso acontece exatamente aos 5 ou 6 minutos.

Para comer o nosso carré de cordeiro o ideal é do ao ponto para o malpassado. É assim que ele fica saboroso. Se ficar bem passado, vai ressecar. Sirva o convidado da seguinte maneira: com guardanapo, na mão. Como o churrasco é um estado de espírito, o carrezinho é servido assim mesmo.

Faça no prato uma base de sal muito sutil.

Levante a mão para poder espalhar bem o sal. Repare que o sal triturado é mais fino e não precisa ser retirado da carne.

Use pouco sal para que penetre na parte superior da carne, e não dentro. O processo anterior ao de levar a carne à grelha leva em torno de 10 minutos, que deve estar em temperatura ambiente, jamais congelada.

A carne pronta para ir à grelha, já com uma película de sal.

Momento de virá-la. O suco está na parte superior e a parte de baixo já está assada; esse é seu indicador para virar.

Chico Barbosa

Nasceu em São Paulo, em 1966. É jornalista, escritor, editor, mestre e doutorando em Comunicação e Semiótica pela PUC-SP. Foi repórter nos veículos *Jornal da Tarde*, *O Estado de S. Paulo* e *Valor Econômico*, e colunista na rádio BandNews FM. Escreveu e editou *A chave do sucesso: como a Audi se tornou cult* (CBNEWS, 2004), Prêmio Jabuti 2005 na categoria Projeto/Produção Editorial. Também é autor de *Passione: um roteiro pela Toscana* (2010) e coautor de *Na mesma sintonia: o rádio na vida e na obra de Orlando Duarte* (Editora Senac São Paulo, 2008).